人文阅读与收藏·良友文学丛书

舒乙题

原从书主编：赵家璧

特 邀 顾 问：舒　乙　赵修慧　赵修义　赵修礼　于润琦

出 品 人：马连弟
监　　制：李晓琤
执　　行：张娟平
统　　筹：吴　晞　姚　兰
装帧设计：赵泽阳

特别鸣谢（按姓氏笔画排列）：
韦　韬　叶永和　李小林　沈龙朱　陈小滢　杨子耘
张　章　周　雯　周吉仲　舒　乙　蒋祖林　施　莲
姚　昕　俞昌实　钟　蕻　郑延顺　赵修慧
以及在版权联系过程中尚未联系到的作者或家属

特别鸣谢：
上海鲁迅纪念馆
北京鲁迅博物馆
北京大学中国语言文学系
复旦大学中国语言文学系
中国作家协会权益保障委员会

人文阅读与收藏·良友文学丛书

雨

巴　金著

中国国际广播出版社

良友版《雨》精装本封面

良友版《雨》精装本巴金第 59 号签名本

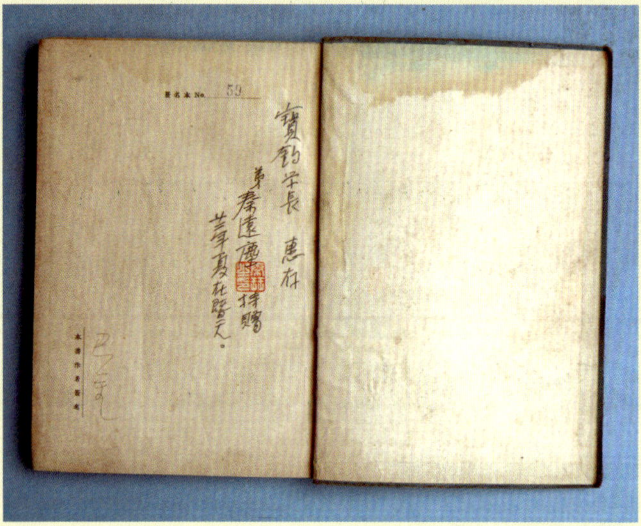

良友版《雨》编号页

良友版《雨》扉页

良友版《雨》内文

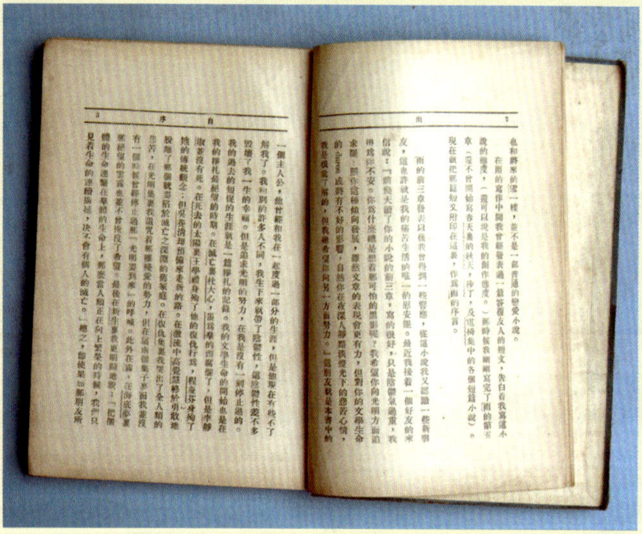

也和將來的潔一樣，並不是一部普通的戀愛小說。

在雨的寫作中間我曾經發表過一篇答覆友人的短文，告白着我寫這小說的態度，（還可以說是我的創作態度。）那時候我剛剛寫完了雨的第五章（還不曾開始寫春天裏的秋天，沙丁，及電椅集中的各個短篇小說）。現在就把那篇短文附印在這裏，作為雨的序言。

雨的前三章發表以後我曾得到一些響應，從這小說我又認識一些新朋友，這也許就是我的痛苦生活的唯一的慰安罷。最近我接着一個好友的來信說：「前幾天讀了你的小說的前三章，寫的很好，只是陰鬱氣過重，我很為你不安。你為什麼總是想着那可怕的黑影呢？我希望你向光明方面追求罷。照你這樣傾向發展，雖然文章的表現會更有力，但對你的文學生命的 future 或將有不好的影響，自然你在夜深人靜燈淡燈光下的悲苦心情，我是很能了解的，但我總希望你向另一方面努力。」這朋友就是本書中的

一個主人公，他曾經和我在一起度過一部分的生涯，但是他現在有些不了解我了。我和別的許多人不同，我生下來就帶了陰鬱性，這陰鬱性差不多毀壞了我一生的幸福。但是追求光明的努力，在我是沒有一刻停止過的。我的過去的短促的生涯就是一篇掙扎的記錄。我的文學生命的開始也是在我的掙扎最絕望的時期。在滅亡裏杜大心，張為羣的頭顱懸掛了，但是李靜淑並沒有死。在死去的太陽裏王學禮身殉了他的復仇行為，程庭芬身殉了她的傳統觀念，但是吳養清却指備來走新的路。在激流中高覺慧終於勇敢地脫離了那個就要陷於滅亡之深淵的舊家庭。在復仇集裏我要喊出了全人類的苦痛，在光明集裏我還咒着那摧殘愛的勢力，但在這兩個集子裏面我並沒有一個時候曾經停止過那「光明要到來」的呼喊。此外在霧，在海底夢裏那絕望的雲霧也並不曾掩沒了希望。最後在新生裏我更明顯地說：「把個體的生命連繫在羣體的生命上，那麼當人類正在向上繁榮的時候，我們只見着生命的連綿廣延，決不會有個人的滅亡。」總之，即使是如那所

《良友文学丛书》新版出版说明

二十世纪三四十年代，著名编辑赵家璧在上海良友图书公司老板伍联德的支持下，历经十余年，陆续出版《良友文学丛书》，计四十余种。其中三十九种在上海出版，各书循序编号，后出几种则无。该套丛书以收入当时左翼及进步作家的作品为主，也选入其他各派作家作品。其中小说居多，兼及散文和文艺论著；第一号是鲁迅的译作《竖琴》。丛书一律软布面精装（亦有平装普及本），外加彩印封套，书页选用米色道林纸，售价均为大洋九角。

《良友文学丛书》选目精良，在现在看来，皆为名家名作；布面精装的装帧更是被许多爱书人誉为“有型有款”。不可否认，在装帧设计日益进步的当下，这套出版于二十世纪三四十年代的丛书外形已难称书中翘楚，但因岁月洗汰，人为毁弃，这套曾在出版史上一度“金碧辉煌”过的丛书首版已然成为新文学极其珍贵的稀见“善本”。

在《良友文学丛书》首版八十周年之际，为满足现代普通读者和图书馆对该丛书阅读与收藏的需求，我们依据《良友文学丛书》旧版进行再版（四种特大本不在其列）。本着尊重旧版原貌的原则，仅对旧版中失校之处予以订正。新版《良友文学丛书》采用简体横排的形式，以旧版书影做插图，装帧力求保持旧版风格，又满足当下读者的审美趣味。希望这一出版活动对缅怀中国出版前辈们的历史功绩和传承中国文化有所裨益，也希望广大读者多提宝贵意见和建议，以便我们把日后的工作做得更好。

《良友文学丛书》新版校订说明

一、本丛书收录原良友图书公司编辑赵家璧主编《良友文学丛书》共四十六种（四种特大本不在其列），乃为目前发现且确系良友版之全部。

二、此番印行各书，均选择《良友文学丛书》旧版作为底本，编辑内容等一律保持原貌，未予改窜删削。

三、所做校订工作，限于以下各项：

（1）将繁体字改为简体字；

（2）原作注释完全保留；

（3）尽量搜求多种印本等资料进行校勘，并对显系排印失校者在编辑中酌予订正；

（4）前后字词用法不一致处，一般不做统一纠正；

（5）给正文中提到的书籍和文章及其他作品标上书名号，原作书名写法不规范、不便添加符号者，容有空缺；

（6）书名号以外其他标点符号用法，多依从作者习惯，除个别明显排印有误者外均未予改动。

自　序

《雨》可以说是《雾》的续篇，虽然在量上它是比《雾》多过一倍。写完了它，我的“爱情的三部曲”（假若这名词可以成立的话，我还想称我的另外三部小说《灭亡》——《新生》——《黎明》为“革命的三部曲”，）已经完成了两部，至于那最后的一部《雪》，现在却还没有动笔。在《雪》里面李佩珠会以一个妃格念尔型女性的面目显露在读者的眼前。

从周如水（《雾》的主人公）到吴仁民（《雨》的主人公），再到李佩珠（《雪》的主人公），这其间是有着一条发展的路径，而且在《雪》里面吴仁民又将以另一个面目出现，更可以帮助读者明白这一层。实际上《雨》和《雾》一样，而且也和将来的《雪》一样，并不是一部普通的恋爱小说。

在《雨》的写作中间我曾经发表过一篇答覆友人的短文，告白着我写这小说的态度，（还可以说是我的创作态度。）那时候我刚刚写完了《雨》的第五章（还不曾开始写《春天里的秋天》，《沙丁》，及《电椅集》中的各个短篇小说）。现在就把那篇短文附印在这里，作为《雨》的序言。

《雨》的前三章发表以后我曾得到一些响应，从这小说我又认识一些新朋友，这也许就是我的痛苦生活的唯一的慰安罢。最近我接着一个好友的来信说："前几天读了你的小说的前三章，写的很好，只是阴郁气过重，我很为你不安。你为什么总是想着那可怕的黑影呢？我希望你向光明方面追求罢！照你这种倾向发展，虽然文章的表现会更有力，但对你的文学生命的 duree 或将有不好的影响，自然你在夜深人静黯淡灯光下的悲苦心情，我是很能了解的，但我总希望你向另一方面努力。"这朋友就是本书中的一个主人公，他曾经和我在一起度过一部分的生涯，但是他现在有些不了解我了。我和别的许多人不同，我生下来就带了阴郁性，这阴郁性差不多毁坏了我一生的幸福。但是追求光明的努力，在我是没有一刻停止过的。我的过去的短促的生涯就是一篇挣扎的记录。我的文学生命的开始也是在我的挣扎最绝望的时期。在《灭亡》里杜大心，张为群的头腐烂了，但是李静淑并没有死。在《死去的太阳》里王学礼身殉了他的复仇行为，程庆芬身殉了她的传统观念；但吴养清却预备来走新的路。在《激流》中高觉慧终于勇敢地脱离了那个就要陷于灭亡之深渊的旧家庭。在《复仇集》里我哭出了全人类的悲苦，在《光明集》里我诅咒着那摧残爱的势力，但在这两个集子里面我并没有一个时候曾经停止过那“光明要到来”的呼喊。此外在《雾》，在《海底梦》里那绝望的云雾也并不曾掩没了希望。最后在《新生》里我更明显地说：“把个体的生命连系在群体的生命上，那么当人类正在向上繁荣的时候，我们只见着生命的连续广延，决不会有个人的灭亡。”总之，即使果如那朋友所说我的小说的阴郁气过重，但这阴郁气也并不曾隐蔽了那贯穿我的全作品的光明的希望。我已经早不去想那黑影了。事实上我已经早把它征服了。法国大革命中的哲学家孔多塞在亲手把生命交还与创造者之前曾写下他的遗言道：“科学要征服死”；另一个诗人也写过：“爱要征服死”，这话我的《死去的太阳》的女主人公也曾重复说过。是的，我的爱已经把那黑影征服了。我的对于人类的爱鼓舞着我，使我有力量和一切挣扎。所以在夜深人静黯淡灯光下鼓舞我写作的并不是那悲苦的心情，而是爱，对于人类的爱。这爱是不会死的。事实上只要人类不灭亡，则对于人类的爱也不会消灭，那么我的文学生命也是不会断绝的罢。

我写文章如同在生活。我的创作态度是和我的生活态度一致的。我在生活里不断地挣扎，同样我在创作里也不断地挣扎。挣扎的结果是给我自己开辟了一条路。

这路是否真会把我引到光明，我现在还不知道，但我已经看见一线光亮在前面照耀了。

读者，现在《雨》是放在你们的面前了，请你们给我一个公正的批判罢。

一九三二年十一月巴金

一

雨住了，这只是一阵过云雨，天空中的愁云都被雨点洗净了，洗出一个清朗的蓝天来。那闷热的空气也被洗得新鲜了。是一个美丽的夜晚。

在一条马路上走着吴仁民和陈真。这是一个大都市里的马路，但并不是热闹的一段。马路中间一条电车轨道伸长出去，消失在远处的绿树荫里。绿树丛中现出来一长串的电灯，一个连接着一个，没有间断，也没有穷尽。没有电车经过。只有两三部黄包车在马路上慢慢动着。几个行人很快地走过去了，并不说一句话，好像心中守着一种秘密。两旁人行道上立着茂盛的法国梧桐。那一簇簇的肥大的树叶在晚风里微微颤动着，时时撒下一些雨点来，它们是因喜悦而感动了。

陈真大步穿过了马路，走上了右边的人行道上，正走到一株梧桐树下面，被一些雨点打在他的头上。他不显出惊讶的样子，只略略把他的散乱的头发搔了几下。

他是一个二十五六岁左右的青年，中等身材，一个瘦削的脸上戴了一付宽边的眼镜。

吴仁民在马路中间被一辆汽车阻止了，他随后也走上了这人行道。他是一个身材略微高的人，有一个圆圆的脸，唇边留着八字须。他的年纪显然比陈真的大一些，是三十岁的光景。

“仁民，我说你今天的态度有些不对，你不该和剑虹那样争辩。闹起来不但没有好处，反给了别人一个坏的印象，剑虹的年纪比我们大得多，就让他一点儿也不要紧。别人常常说我们爱闹意见，我们却故意闹给人家看，”陈真抱怨那在他的身边走着的吴仁民说。

“这又有什么办法呢？我们的性情差得太远了。”吴仁民率直地辩护说。“他怪我轻浮，卤莽。而我却以为他是一个书呆子，一个道学家。他不会了解我，我也不会了解他。这本来也是不要紧的事情，就这样也可以过得去。然而他却要我也像别人那样恭敬他，崇拜他，我当然办不到。”最后的一句话是用很坚决的语调说出来的，他又显出了愤怒的样子。

“我们也不能够说他就有那种心思，这不过是你的猜度罢了，而且你已经有了一种成见。老实说你今天的有些话也太使他难堪了。我从没有看见他像今天这样地面红耳热的。今天我第一次看见他生气。这可见镇静的确不是一件容易的事情。”陈真说到这里，他的眼前就仿佛出现了李剑虹的瘦脸和秃顶，和那种气得站又不是，坐又不是，话又说不出口，只是接连地念着几个重覆的字的样子。他不觉笑出声来，但马上又改变了语调对吴仁民说。“剑虹有许多地方究竟可以使人佩服。我虽然不像如水他们那样崇拜他，但我也不能够说他的坏话。”

“如水，你还要说如水？从前张若兰表示愿意嫁他，他却拿猜疑和犹豫把她拒绝了。她让他所谓的良心的安慰和他所不爱的家里的妻子的思念来折磨自己，其实他的妻子已经早死了。到后来他眼睁睁看见他所爱的女子嫁了人，自己好像是一只断篷的船，跑到剑虹那里去躲避风雨，所以无怪乎他把剑虹当作父亲那样地崇拜，而且我想他对于剑虹的女儿佩珠也许还存了野心，”吴仁民嘲笑地说。

“这倒是很难得的事情。有许多人失恋以后不是自杀，就是堕落，或者到处飘泊。像如水现在这样子，也还算是很好的。我想靠着剑虹的力量也许会把他的性情和习惯改变一点，要是他能够和佩珠发生关系，我也赞成。我早说过他需要着一个女子，而且像李佩珠那样的小资产阶级的女性对于他倒是很适宜的，”陈真这时不觉想起了三女性的故事。原来他几年前曾经给他在李剑虹家里常常遇见的三个女子起了个“三个小资产阶级的女性”的绰号。那三个女子恰恰可以代表小资产阶级的女性的三种典型。于是这时候三个少女的面庞又浮现于他的脑际。一个是长睫毛，大眼睛，老是微笑着的团团的脸，那是周如水所爱过的张若兰，她是一个温柔的女性，也曾爱过周如水，本来可以和周如水结合的，却被周如水的怯懦和猜疑把她失掉了。她现在到了辽远的省分去，规规矩矩做着一个大学教授的夫人。他还记得她曾经对他说过“我始终敬佩你”的话。一个是淡淡画了眉毛染了口红的瓜子脸，那是喜欢玩弄男子的秦蕴玉。据说她曾经有意于他，但是她现在到美国留学去了，虽然最近还寄了一封信给他。还有一个是富有爱娇的长脸，那就是刚才说到的李佩珠。她比那两个都要年青，声音很清脆，脸上常常带着善意的微笑。她的头发很多，平常总是梳成两根短短的辫子在脑后。

“三个小资产阶级的女性，我这个绰号倒给她们起得很好！”他想着几乎要笑出声来，但是突然的一个思想在他的头脑里涌现了。他埋下头，把他的躺在湿地上的淡淡的影子看了一眼，他吃惊地发见这影子是软软的，多么无力。他明白了，他恍然明白了。这时候一切对于他不再是像先前那样地空幻了，在他的前面就立着死的黑影，非常确定。这黑影大步走过来，到他的身边，在他的耳畔大声说：“这些女性与你有什么关系呢？你自己已经是一个快要死去的人了。”他惊觉地抬起头要和这熟习的声音争辩，可是这黑影又远远地隐去了。他知道这并不是幻觉。这黑影对于他并不是陌生的，这一晌来他不知看到若干次了，他不断地和它奋斗，他宣誓要征服它，然而事实上每当他想到一些可以使人欢乐的事情的时候，它，这黑影，又威胁地出现了，于是他又继续着一场更惨苦的斗争。

奋斗的结果是这样，这是很痛苦的事，然而他并不曾因此就失掉他的勇气。他说他非要等到自己连些微的力量也没有了的时候他决不会撒手的。事实上他并不曾说过一句夸张的话。他的心里充满着那样多的爱和恨，他的前面堆积了那样多的未做的工作，他当然不能够就想到躺下来闭着眼睛不看见听见一切，不做一点事的那一天，他更不能够忍受那思想：自己躺在坟墓里皮肉化成臭水，骨头上爬行着蛆虫，而他的那些有着丰腴的皮肉的朋友们却站立在他的坟墓前为他流眼泪，或者说些哀悼他，恭维他的话语，然后他们就回去了，回到那活动的都市里去了，剩下他一个人，或者更可以说一付骨头冷清清的躺在土里。他怕这样的一天很快地就到来，而且他又知道要是他不和那黑影奋斗，这日子也许会来得更早一点。所以即使奋斗的结果没有用，他还是不能够撒手的。然而如今在他这样苦痛地，绝望地奋斗的时候，他的朋友们却有许多功夫来争闲气，闹意见，这对于他比那黑影更可怕了。

“仁民，我不知道我还能够活多久，不过我活着的时候我希望不要看见朋友们闹意见。”陈真苦痛地说，但他还极力忍住心痛，不要使自己的声音带一点悲伤的调子。

“闹意见，你的话也太过火了。我是从来不喜欢闹意见的，不过说到主张上来我却不肯让步，”吴仁民只顾望着前面，并不曾注意到陈真的脸色。他是这样一个人：他常常只去想自己所想的，他从来不想到去了解别人，他过于相信自己的心，以为那是一面最好的镜子，它可以忠实地映出每个人的真面目来。“我不能够像周如水那样，自己老是随随便便做别人的应声虫。你总是爱替别人辩护，你总喜欢说我不是。”

“好，你总是对的。你有健全的身体，你有强大的精力，你有悠久的生命，你自然可以和别人争闲气。我呢，我只希望早一天，早一天有一点好的现象给我看，因为我活着的时候恐怕不会久了。我没有什么大的希望，我只想早一天——因为我不像你们。”陈真说着极力咬自己的嘴唇皮，为的是不要使眼泪流下来，他是从来不曾在人面前落眼泪或伸诉悲哀的。然而他禁不住要去揉他的胸膛，因为他起了一阵剧烈的心痛。他接连地咳了几声嗽。他不能够再说下去了。

吴仁民恍然地记忆起了陈真是一个患着剧烈的肺病的人，他活着的时间的确是不会长久的了。这是很自然的事，没有人力可以挽回的。他的死就好像日出日落那样地确定，而且在朋友们中间早就有人说到这件事了。这并不是新奇的消息，然而在这时候，在这环境里这样的话却有点不能入耳了，而况是出之于一个二十五岁的青年的口。吴仁民便掉头去看陈真，他看见了一个黄瘦的脸，一双似乎是突出的大眼睛在宽边眼镜下发光，他好像受了鞭打似的掉开了眼睛。于是在他的脑里就浮现出了这一个二十五岁的青年的生平：生下来就死了母亲；十五岁就献身于社会运动；十六岁离了家庭；十八岁死了父亲；没有青春，没有幸福，让过度的工作摧毁了身体；现在才二十五岁就说着"要死"的话了。这是一件何等可怕而且令人痛惜的事，然而它却是真实的，真实到使人不敢起一点希望。他有过一个中年朋友，也是陈真的朋友，那人患着和陈真患的一样的病，那人也是像陈真那样地过度工作着，不过不是为了信仰的指示，却为了生活的负担。那人也像陈真那样对他说过"要死"的话，后来那人果然死了。看见一个朋友的死本来不是容易的事；更苦痛的是在这人未死之前听着从他的活着的口里说出要死的话却无法帮助他，而这人又是自己所敬爱的陈真。他不觉痛惜地用战抖的声音对陈真说："不要提那些不愉快的事了！我说你应该到外国去休息一些时候才好，你的身体近来更坏了。你也应该好好保重，免得将来太迟了。你年纪很轻，将来做事的机会还多着呢！来日正长，不要贪图现在就卖掉了未来。"说到“来日正长”时他无意间抬头去望天空。那蓝天，那月光，那新鲜的空气，那绿荫荫的树木似乎都在嘲笑他。他才知道自己是说了多么残酷的话了。固然对于他是来日正长，他还有很多的蓝天，月光，新鲜的空气，绿荫荫的树木，他可以随意地把它们浪费，他可以随意地谈着未来，等候着未来，然而对于陈真却不是这样，陈真是随时都会失掉这一切的，他没有未来，所以不得不贪图现在了。

两人都不再说话，只顾在这寂静的马路上走着，但脚步却下得很慢，各人的心情都在很快地变换着。陈真忽然抬起头去望天空，他仰着头向着那无云的蓝天长长地呼吸了一口气，这时候他们正走到十字路口，头上没有树叶遮住月光，也没有车辆来阻碍他们。月光射在陈真的脸上好像一只温柔的手在抚摩他的脸。他不忍把脸掉开。他喃喃地赞美说：“好美丽的夜！月光真正是可爱啊，更是对于一个像我这样的人。”然后又埋下头对吴仁民说：“你不就回去罢，我们在马路上多走一会不好吗？这样好的月夜！我恐怕再没有几个了。”他这样说，是因为离吴仁民的住处很近了。

“你为什么说那令人丧气的话，你也许会再活几十年也未可知，”吴仁民苦痛地说。“好，陪你多走走是很可以的，而且我比你更容易感到寂寞，我更怕回到家里。……自从我的瑶珠死了以后，我是常常感到寂寞的。

家里就等于坟墓。我要的是活动，是暖热。家里却只有死亡。前些时候我还有工会里的工作来消磨我的精力和时间。我可以忘掉心的寂寞。现在我却不能不记起瑶珠了。”瑶珠是吴仁民的妻子，是因难产死的，已经死了一年多了。

陈真没有答话，只顾仰起头看月亮，心里依旧被痛苦的思想折磨着。吴仁民却突然用另一种声音问他道：“你还记得玉雯吗？”

“玉雯？”陈真惊讶地说，“你还记起她？我早已把她忘掉了。”

“但是——”吴仁民迟疑地说，他正在开那回忆的门。

“但是——什么？我知道你还想她，”陈真嗤笑地打插说。这人的举动确实有些使人不容易了解。他方才还极力要忍住眼泪，现在却好像忘了一切似的反来嗤笑吴仁民了。“你总是在想念女人。人说有了妻子的人，就好像抽大烟上了瘾，一天不抽就过活不下去。你失掉了瑶珠，现在又想玉雯了。你看我从来没有一个女人，我却依然过活得很好。我不像你们那样，见了一个女人就好像苍蝇见了蜜糖一般，马上钉在上面不肯离开。那种样子真使人看不惯。秦蕴玉之所以成为玩弄男人的女子，就是因为有了你们这些不争气的男子的缘故。你们见一个女人就去追逐，包围，或者只见了一两面就写情书给一个女人，请她看电影，上餐馆……”

“你的话真刻毒，不过和我并没有什么关系，因为我不是这样的人。你只可以骂倒周如水，但可惜他现在又不在这里。”吴仁民红着脸带笑地插口分辩说，他把那回忆的门重复关上了。

“你为什么专门骂周如水呢？你不见得就比他好了多少罢。你几个月以前不是曾经有过这样的一回事吗：你读了报纸上的一个少女征求伴侣的通信就写了一封很长的信寄去的？我那时候劝你不要多事，你不肯听从我的话，一定要寄去。难道你就忘记了吗？”陈真嘲笑他说。

“那是周如水怂恿我干的，”吴仁民分辩说，显出难为情的样子。他最怕人提起这件事情，因为他依着那女子的通信处把信挂号寄了出去，信固然没有被退回，而回信也终于没有来，后来从别处他才探听到那是一个男子假冒的。他显然是被人欺骗了，也许那人会拿他的信去做开玩笑的材料。这真正是一件令人难为情的事，别人在他的面前一提起，他就会马上红脸的。可是知道这事的人并不多，陈真自然是一个，周如水也是一个，此外还有两三个人。周如水却时常拿这事来做抵挡他的嘲骂的武器，所以他因此有点不高兴周如水。

“你还要抵赖呢！”陈真嘲骂说。“不管周如水怎样怂恿，信总是你亲笔写的。你还记得你的信里面的话吗？——”

“不要再提那事罢，你再要说下去，我就不陪你走了！”吴仁民恐怕陈真果真念出那信里的话来，变得很是发急，连忙把他的话打断了。

陈真果然不说话了。两个人慢慢地在那似乎是很柔软的步道上面下着脚步。各人都把自己关闭在不连续的思想里，有时候踏着自己的影子，有时候望着那天空中缓缓移动的皓月，有时候在那明亮的玻璃橱窗前略略停了片刻，怀着寻求安慰的心情去看那似乎含着热力的灯光，和种种可以满足人的需要的东西，因为这时候他们已经走进比较热闹的街市了。

“我要回去了。”吴仁民突然用一种疲倦的声音说，这声音给人听了是不会起愉快的感觉的。

“再走一些时候罢，现在时间还早呢！”陈真诚恳地挽留他说，好像这夜晚别了他，就没有机会再和他见面了。

“不要走了，我想回家去睡。”吴仁民说完，不等陈真说话就转身走了。陈真并不挽留他，却也掉转身子默默地望着他的背影。他的脚步并不是坚定的，他走得没有一点精神，显然他是疲倦了。

陈真微微摇着头，叹息了一声，低声说了一句：“这叫做没有办法。”于是又转身向前面走了。他依旧慢慢下着脚步，他并不想马上回家，所以也不上电车。一辆电车过去了，又一辆电车过去了，他还是没有走了多少远。他走得很慢，好像他自己也疲倦了。

忽然一只大手在后面拍他的肩膀，他掉过头去看，吴仁民站在他的身后，两只眼睛里射出强烈的忧郁的光。

“怎么？你不是已经回去了吗？”陈真惊讶地问。

吴仁民只是苦笑，并不回答。

“你不是说要回家去睡？”陈真又问。

“我的心里烦燥得很，家里又是那样冷静，那样寂寞。我不想回家去了，所以走到半途又来找你。”吴仁民的充满了渴望的战抖的声音向他的脸打来，他从来没有看见过吴仁民显出这种烦燥不安的样子。他的心也被这情形搅乱了。

“那么我们两个同着多走一些时候罢，两个人在一起究竟还可以谈谈话。”陈真感动地说，便拔步走了。

吴仁民不作声了，他跟着陈真走。对于陈真的问话他只是用简短的，含糊的话来回答。他并不注意地去听陈真说话。虽然他在陈真的身边走着，可是他的心却在远处。

“好寂寞呀！这城市就好像是一个大沙漠！”吴仁民忽然大声叫了起来，一只手抓住陈真的右臂在摇撼。“陈真，这样平静的夜晚我真受不下去了。我希望的是热闹激动的空气。我不要这闷得死人的沈寂，我宁愿要那热烈的争辩。是的，我爱闹意见，争闲气。你想想看，全身的血都冲到脸上来，那颗心热得跳个不住，一直要跳出口腔，不管结果怎样，这究竟是多么痛快的事。然而现在什么也没有，马路上这样清静，月光是这样凉爽！我们两个和平地，没有生气地问答着，心里想着一些不愉快的事。真，人们说我近来大大改变了。我果然改变了吗？你想这平静空气我怎么能够忍下去？这寂寞，这闷得死人的寂寞呀！只有你还可以多少了解我，在这个大都市里只你一个人——”

陈真半晌不回答他的话，只是紧紧地咬着嘴唇皮，为的是要镇压住自己的心痛。他已经看不清楚周围的东西，他的眼睛被泪珠迷糊了。

“我们进一个酒馆去喝酒罢，我现在需要的是麻醉。今晚上我真不知道把这颗心安放到什么地方去？”吴仁民依旧用战抖的声音说。

陈真开口了：“仁民，你激动得太厉害，你的头脑昏乱了，你应该休息一下。……你还有更多的时间来奋斗，你还要经历许多活动的日子，你怎么也会像我这样连这一晚上就忍受不下去了呢？……你不知道在那里，在那坟墓里才是真正的寂寞呀！（这一句话说得很低声，好像对自己说的。）现在不是喝酒的时候，你应该回去睡了。……让我把你送回家去罢。”陈真说到这里就挣脱了吴仁民的手，并不等他答应就去把他的手臂挟着转身走了。

吴仁民顺从地跟着陈真走，他并不反抗，他喃喃地唤着两个女人的名字，除了他的瑶珠外还有一个玉雯。

两个人的影子在那被月光照耀着的步道上动着。这一次却不同了。吴仁民的影子显得十分无力，而陈真的影子却是那样坚定，谁也看不出来这是一个垂死的人。

到了吴仁民的家，他把吴仁民安顿睡下了，才冷静静地走了出来。他又一次发见自己是在月光下面了。方才的一切好像只是一段不可相信的梦景。

他走过了冷静的马路，又走过了比较热闹的街市。他的眼睛里充满了红色，绿色，蓝色的 Noon light 的招牌。

汽车过去了，电车过去了，两三部黄包车无力地在马路中间动。接着又是一辆电车过去了。

电车消失在远处了。马路上又复归于静寂。但他的耳边还留着电车的声音。这声音使他忘记了吴仁民的苦恼。这声音把他带到了很远的地方，带到很远的年代，那久已被埋葬了的年代。

在平日陈真很少记忆起往事的，他自己常常说不应该去想过去，只该想到现在，想到将来。事实上他果然做到了这样。可是如今在吴仁民的一番举动以后，那久已被埋葬了的往事竟毫无原因地浮现在他的头脑里了。他仿佛看见了那一个白衣少女，那一个代替了他的失掉的母亲，第一个给了他以女性的爱的女孩。她曾经和他过了若干个梦景般的月夜。她是他的小母亲，她是他的幼年时代的唯一保护者。她把那个和专制的王国一样的富裕的旧家庭所涂在他的身上的忧郁与黑暗给他完全洗掉，她给了他的勇气来忍受一个小孩所不能够忍受的苦痛。她告诉了他许多美丽的事物。他第一次知道关于电车的事也是她告诉他的。她的在日本留过学的父亲常常叙说他从前乘电车消遣的故事。"将来姊姊会带你到那里去坐电车，看房子走路，看树木赛跑。"遇着他哭的时候她常常这样安慰他，这样给他一个希望。他叫她做姊姊，因为她比他大三岁。这个希望不但没有实现过，而且永远没有实现的可能了。他还记得在他十岁的光景，这一个和他多少有点亲戚关系的邻家少女就死了。别人告诉他说她死了，而他所知道所看见的却只是在故乡的某山上留着她的小小的坟墓，一个小小的石碑，和几株小桃花。她睡在她的母亲的坟墓旁边。从此这一个可爱的少女就消灭了。她的爱抚，她的关心都跟着她的身体一同消灭了。他那时并不知道死是什么一回事。别人只告诉说死就是升天，她是到天上去了。这升天的话曾经给他造成了许多美丽的梦景，直到后来另一些事情，另一种生活使他把她完全忘却了的时候。于是许多的年代又过去了。

现在无意间他又把她从坟墓中挖出来了。这时候他才明白他并没有完全忘掉她，她还是隐藏在他的深心里。她从坟墓中出来，并不是一滩臭水，一堆枯骨，她还是一个活泼的少女，尤其是那一双温柔慈爱的眼睛一点也没有改变。她还是他的她。她并没有死！

“她怎么能够通过这许多年代而来到我这里呢？她还是像从前那样地来爱护我，安慰我吗？她是看见我已经走到了灭亡的涯沿，特地来拯救我的吗？”他在迷惘中这样自语着，然后他又否定地说道：“不能够，现在已经太迟了，我已经不再需要她了。我现在只有勇敢地向着那死路走去了，死的黑影就站在我的前面，我迟早就会被它带走的。”他又问自己道：“我为什么要显出悲伤的样子呢？难道我还害怕死吗？我的身体内的一部分已经开始在腐烂了。我的一只脚已经踏进那永恒里面去了。她的爱对于我还能够有什么帮助呢？我迟早是要离开我们的斗争的。我会撒手不做一事的。朋友们会继续着生活，奋斗，争闲气，闹意见；然而我是要去了，去到那坟墓里了。我的写过许多动人的文章的手会腐烂成了枯骨，我的作过许多激烈的演说的嘴会烂掉下来，从那骨头架子里会爬出许多蛆虫。别人会掩鼻走过我的身旁，或者用脚踢我的身体，或者在我的骨头上小便。从此再没有人提起陈真这名字了，好像我根本就不曾存在过一般。即使有人提到这个名字，也会批评说：‘陈真这傻子，他只顾盲目地乱干，自己摧残了自己，真死得可怜！’或者也会说：‘陈真真是一个革命家，然而他现在死了。我们应该把他忘掉了。’这时候她的爱对于我又是什么用处呢？我已经是一个无可挽救的人了。”

于是他的心又起了剧烈的阵痛，他用手去揉胸膛，但也止不住心痛，好像有一把刀在慢慢地割着他的心。他喘着气，他咳着嗽，他靠着电柱上咳了许久，好容易才缓过一口气来。他就站住不走，把他的纷乱的心曲镇压了一下，他渐渐地又提起了精神劝慰自己道：“管那些事干什么？便是死在目前。活一天也要干一天事。”说罢又迈步往街心走了。

他走过热闹的街市，又走过寂静的马路，直到深夜他还在街中走着，因为他的住处是在一个远僻的地方，而他的脚步又下得很慢，并且不得不因咳嗽时时停步。

他已经逼近他的住处了，只差了两条马路。他走进了一条僻静的马路，他依旧慢慢走着，他时时抬起头让月光抚摩他的烧脸，他的胸膛里还似乎放着一个又热又辣的东西，他的喉管好像被一只手在轻轻搔着。他想咳嗽，但又咳不出来，他又想呕吐，但却极力忍住。

周围没有一点声音，也没有一个行人，甚至没有别的影子，除了那街灯。他把他的全付精力用来镇压咳嗽和呕吐，他忘记了周围的一切。

渐渐地一辆汽车从他的后面驰来，没有一点大的响声来惊动他，车夫也不按喇叭。等到快逼近他的时候，喇叭突然大声地叫了。

他吃了一惊，并不回头去看，本能地往旁边一跑。不知怎样他的脚向前面一滑，把他的瘦弱的身子摔倒在地上。他刚要努力挣起来，那汽车却轻轻地往他的身上走过。一阵喇叭声压倒了他的哀叫。汽车夫马上加增了速度开着车跑，好像恐怕他会从地上爬起来追上去一般。车中坐了两对时髦的男女，他们是坐了车在马路上兜风的。他们坐的是轿车，而且正在里面调笑，所以没有注意到外面的事，问汽车夫，汽车夫回答说："不要紧，不过辗死了一条狗。"

陈真仰卧在地上微微动着，腥血包围着他的身子。他已经没有声音，只有低微的喉鸣。颈项以下就不是他平日的完全的身体。只有他的头部还没有改变，那黄瘦的脸上溅了一些血迹，微闭着的大眼睛上失掉了那一对宽边眼镜。

死来了，但并不是如他所想像的那样。他死着一个健壮的人的死，并不是一个患着剧烈的肺病的人的死。从那血肉模糊的尸首上看来，别人决不会知道他是一个垂死的肺病患者。

月光温柔地射下来，抚摩着他的渐渐冷了的瘦脸，一直到巡捕来发见他的时候。

二

在一个会馆的义地上，人们葬了陈真。天落着微雨，土地润湿着，眼睛也润湿着。周如水和李佩珠两个人差不多要哭出声来了。

工人盖了最后的一撮泥土。白色的棺木完全看不见了。陈真完全埋在地底下了。

“仁民，你说几句话呀！”周如水拭着眼泪抽泣地说。“这一晌来你和他是最好的朋友……”

吴仁民沉默了半晌，用手拭干了他的黏着雨珠的前额，把眼睛在那许多被野草盖满了的不认识的坟墓中间轮了一转，忽然一种异样的痛楚的感觉来扭曲他的头脑，他愤然地说：“我有什么话说呢？陈真的死不是话语可以哀悼的！”这时候在他的耳边响起了一个熟识的声音：“我活着的时候，我不愿意看见大家再闹意见。”他知道这是什么人的话。他的脸上起了一阵强烈的痉挛，他第一次感到了比针刺还要厉害许多倍的心痛。

在他的旁边李剑虹开口了："陈真时常梦想着一个殉道者的死，万料不到却死在车轮下面，做了一个不值得的牺牲。……然而失掉了他，我们却失掉了一个如此忠实，如此努力，如此热情的同志。像他这样的人在我们中间恐怕找不出第二个来。……他的死对于我们，是一个绝大的损失……"他的枯涩的声音抖着，他用一只颤动的手握着他的女儿佩珠的手，用另一只手揭下头上的草帽，让他的秃顶被微雨来灌溉，他深深地俯下了头。

众人继续沈默着，直到一个瘦长的学生叫起来："我们回去罢，再留在这里也没有什么用处。"

"好。走罢，我们的哀悼是在心里，不必管什么形式，"李剑虹说。

"是的，再不走恐怕雨会落大了，"周如水依旧带悲声说。他忽然注意到李佩珠头发上蓄着不少的雨珠，差不多要沿着鬓脚滴下水来。他便毫不踌躇地揭下自己头上的草帽递给她，一面说："佩珠，看你的头湿得像这样，你拿我的帽子去遮遮雨罢。"

一个微笑把李佩珠的脸上的愁容驱散了，她摇了摇头回答说："周先生，谢谢你，我用不着它，我们就要回去了，我今天忘了带伞，爸爸本来叫我带伞来的。……"她的话好像还没有说完就被她咽住了。这时候她开始跟着她的父亲转身走了。

吴仁民走在最后，那个名叫方亚丹的瘦长学生忽然在前面掉过头来对他说："仁民，忘了陈真罢，人死了，他的责任就算尽了，我们不要再去想他，最好把他当作不曾存在过一般。你应该记得人们常常说的那句话：'人死了，道还存在着呢！'我们不要再哀悼陈真了，在我们中间已经没有陈真这个人了。"

"但是你就从不会想到有一天你也会像他这样地躺在泥土里，别人会在你的坟前说：'我们中间已经没有他这个人了，他好像就不曾存在过一般'吗？我问你能不能够忍受这思想？"吴仁民抬起头用愤激的眼光看方亚丹，疯狂似地问。"这不是他的问题，这是我的问题。"

"你的问题？"方亚丹惊讶地问。"这意思我倒不大懂得了。快点走罢！为什么老是说死人的事？他们已经走得远了！……你为什么不戴一顶帽子？你的头弄得这样湿。快点走罢，再迟一点恐怕会赶落一部公共汽车。"说着他便开始大步走了。

他们两个走到汽车站时正来得及上汽车。车里挤满了人，已经没有座位了。车身颠播得很厉害。一路上周如水不住地和李佩珠谈话，李剑虹和方亚丹有时候也插入说几句。只有吴仁民沉默着。虽然这和他平日的习惯不合，可是众人也不去注意他。

汽车到了终点，众人陆续下了车，周如水跟着李剑虹父女搭电车回去了。

“仁民，你回家去吗?”方亚丹问。

开始在微雨下面大步走着的吴仁民掉过头看他一眼，迟疑了一下才默默地点了点头，把脚步停住了。

“那么你为什么不搭电车?……我也要到你家里去，我要去取一本书，你前天答应借给我的。”

“好罢，”吴仁民应了一句，这好像是一声长叹。

电车在他们的面前停住了，他们跟着别人上了车，于是电车又向前走了，向着那些长的街道，热闹的和僻静的，驶去。

从电车上面下来，雨还没有住，他们大步走到了吴仁民的寓所。吴仁民开了门进去，上了楼，又开了住房门上的锁。两个人是在二楼里面了。

吴仁民脱了润湿的西装上衣，挂在壁上，自己就往窗前的一张沙发上面一躺，接连吐了几口长气，显出十分疲倦的样子，燃了一根纸烟吸着。

方亚丹在桌上的书堆里翻出了他要的那一本书，英译本的妃格念尔的《回忆录》，拿来挟在腋下，正打算走出去，忽然注意到了吴仁民的神情，便关心地问道;“仁民，你怎样了?”

吴仁民并不回答，只是喃喃地念着陈真这个名字。抽完一根纸烟把烟头抛了，又燃了一根来抽。

“陈真是一个很好的同志，像他那样热心，那样能干的实在不多!”方亚丹感动地赞叹道，但是歇了歇他又加上这几句："然而他现在已经死了。我们应该忘掉他，我们会有更多的新同志。"

吴仁民狂乱地搔着头发一面粗声地答道："是的，我们会有更多的新同志，可是再没有一个能够像陈真那样的了。"

"你说，再没有一个能够像陈真那样的？"方亚丹惊讶地说，"你怎么今天老是说丧气的话？难道你连这样的一个打击也受不住？"

"受得住和受不住，又有什么关系呢？我说血只有用血来洗的！"吴仁民从沙发上跳起来，把烟头掷在地上用脚踏熄了，又用一只手压在桌子上，看得出来他把全身的力量都用在这只手上面了，可是那张方桌在他下面动也不动一动。"我说我们的方法太迂缓了。不错，我们会有更多的新同志，可是我们也还有更多的不值得的牺牲，像陈真那样。单是陈真的血就迷住我的眼睛了，我怕还有那更多的新同志的血……我不能够忘掉陈真，你看你手里的那本书不就是陈真的吗？那上面还有他亲笔写的注释。我们能够说对于我们他已经死了吗？……老实说，你还不懂得陈真，在你，在剑虹他们，失掉陈真，不过失掉了一个忠实勇敢的同志，他遗下的空位是很容易填补的。然而我却失掉一个最了解我的朋友了。我认识他，不仅像一个同志，而且还是一个朋友，一个有着黄金的心的朋友。……你们说他是死了，可是你们不知道他是怎样地不愿意死，甚至在剧烈的肺病蚕食着他的身子的时候，他还不肯撒手放弃一切，还极力和死挣扎。然而一辆汽车从他的头上辗过，而你们都说他是死了。……我如今在什么地方去找他呢？找那个最了解我的朋友呢？……”他绝望地说着，把手捏成拳头在桌上击了几下。

“仁民，你说这些话又有什么用处呢？然而陈真是死掉了，我们还活着，我们要活下去继续他的工作。只要我们的工作不毁灭，陈真的精神也是不会死的。”

“精神不死，不过是一句骗人的话，我现在不相信它了！”吴仁民愤愤地说。“工作，工作，难道我们只是为工作而生活的吗？是的，我们要活下去继续他的工作，可是那时候他的骨头已经腐烂了。谁看见他的精神活起来？你看！”他说着伸手去指墙壁上的一张女人的照像。“这是我的瑶珠。她死了，她的精神也死了。从前我每次回家较迟就要使她担心，或者写文章睡得较晚一点，也要被她催几次。她关心我的饮食，关心我的衣服，关心我的一切，有时候我过于违拗了她的意思，就使她流眼泪。可是如今她在什么地方去了呢？我如今任意做着一切，而她，她却不能够从坟墓中出来说一句话了。同样陈真常常说他有他的爱，有他的恨，他把这爱和恨放在工作里面，文章里面而撒布在人间，可是如今他所爱的还在受苦，他所恨的还在作恶，而他自己就已经不存在了，你看见过谁曾受到他的爱，谁曾蒙到他的恨来？黑暗，专制，罪恶依旧统治着这世界，可是他现在却不能够从坟墓里爬出来说一句‘我反抗’的话了。……我说我们的方法太迂缓了。不管我的身体怎样好，有一天我也会像陈真那样地躺在地下，在我的上面黑暗，专制，罪恶要继续着在狂欢，而我连呻吟的力量也没有了。这是不能够忍受的！”他说到这里再也说不下去了，便又拿了一根纸烟燃起来猛烈地抽着，一面走回到沙发前躺下去，他坐得很快，就好像跌倒在那上面一般。

“你太兴奋了，而且你太热情了，”方亚丹诚恳地说。“我们从事于革命工作的人，应该有一个冷静的头脑才行。你太热情了，怪不得有人说你卤莽，又有人说你是一个罗曼谛克的革命家。要知道革命并不是一个政变，也不是一个奇迹，除了用你所说的迂缓的方法外，恐怕就没有便捷的方法了。革命是不能速成的，所以我们必须忍耐。……”

“是的，必须忍耐，”吴仁民大大地喷出了一口烟便嗤笑起来。“我知道你还会说，怎样地著书，出刊物阐扬真理，或者先到外国去研究几年，熟读几本厚书，或者甚至把毕生的精力耗费在旧书堆里，然后自己写出一两本大书来，就相信这几本书会造成一种智的潮流再来感动千千万万的人，我劝你不要再做这种梦了。我告诉你，这许多年来李剑虹就做着这种梦，他见着一个青年就向着一个青年鼓吹，应该怎样读书，研究学问，学习两三种外国文，到外国去留学，今年到日本，明年到法国，后年又到比国，这样跑来跑去把一个人的青春跑完了，于是回到中国来，做什么？来唱高调！因为他们还不知道怎样把贩来的洋八股应用到中国社会上去。其实唱高调的那些还算是好的一种。这时候稍微有一点雾就会迷了他们的眼睛，升官发财在从前是他们所痛恨的，如今却变成了可走的路了。这就是剑虹的成绩，他把一个个有着献身的热诚的青年都送进书斋送到外国去，在那里把热情销磨尽了才回到中国来，或者回到运动里来。一个个的革命青年就这样地被断送了。听说你不久也要到法国去，好，希望你好好地在那里贩点革命方略回来。”

“我——我不一——一定。……”方亚丹迟疑地辩解说，全个脸都变得红了。两种思想在他的心里交战，他再也说不出一句话。

“不一定？”吴仁民讥讽地说，“就说不去，不更痛快吗？老实告诉你，大学校，实验室，书斋只会阻碍革命的精神。读书愈多的人，他的革命精神愈淡薄。我以后不高兴再在大学里教书了。那些资产阶级的子弟是没有多少希望的，我们只该去注意贫苦的青年，我们不必去替资产阶级培养子弟。资产阶级的子弟，好的至多不过做个学者，然而学者只会吃饭。我最不满意剑虹的，就是他开口是学问，闭口是读书，他的理想人物就是个学者。你想，拿书本来革命岂不是大笑话！我看不惯他拿‘读书’两个字来麻醉青年，把青年骗得到处跑，所以我常常和他争吵，陈真怪我爱闹意见，我知道这事情会使陈真痛心，然而我却不能够让剑虹去做领袖。”吴仁民说到这里又拿出了一根纸烟，但并不去燃它，却用两根指头把它来揉来揉去。

方亚丹是比较相信李剑虹的，而且多少受了一点李剑虹的影响，所以他不能够同意吴仁民的话，不过他也略略了解吴仁民这时候的心情，便也不再多说话，只淡淡地摇头说了一句“你的成见太深了，”接着就说：“我去了，后天再来看你。”他开了门，用很快的脚步下了楼梯，于是走出去了。这些声音很清晰地送进吴仁民的耳里。

“又是一个李剑虹的弟子。”吴仁民叹息地说了一句话，就不再作声了，他把纸烟燃起来狂抽，同时在想李剑虹究竟具有着何种力量可以使一般青年那样信仰。他愈想，愈不能够了解，同时愈感到自己的孤寂。

门上起了重重的叩声。

“进来。”

门开了，一个黄瘦的长脸掷进来，接着是穿着蓝布短衫的身体。

“蔡维新叫我来拿稿子的，”朴实的脸上露了不自然的微笑。他站在吴仁民的面前。

“啊，我倒忘了！”吴仁民吃惊似地站起来便走向桌子那边去。“文章昨晚就写好了，他原说今天早晨来拿的。”说着便在书堆里去找那篇文章。

“今天早晨大家忙着开会没有人空，所以到现在才来拿。他还说纪念陈先生的文章要你快些做。”

吴仁民把文章找出来了，便顺手递给那人，一面说：“你拿回去罢。告诉蔡维新，我明天去看他。今天人太疲倦了，刚刚从陈先生的坟地上回来。”

那人并不就走却改换了语调问：“陈先生的坟已经弄好了吗？”两只眼睛定在吴仁民的忧郁的脸上。

“是，弄好了，那地方蔡维新知道的。”

“我们要去看他，陈先生那样好的人会碰着这种惨死。……他妈的，我们要替他——”话没有说完就被他咽住了。他急急开了门出去，吴仁民没有再和他谈一句话的时间。然而他的未说出的话，吴仁民已经懂得了。

那个汉子的未完的话给吴仁民留了一线的希望，但是渐渐地希望又消失了。

于是寂静统治了全个房间，再没有一点声音响起来。

吴仁民在房子的中央茫然地立了一些时候，不知道应该怎样做，随后又走到沙发前坐下去。他不再抽烟了。他的眼皮疲倦地垂下来。他的思想变得模糊，他终于忘却了自己是在什么地方。

一个黑影忽然在他的面前生长起来。是一个瘦削的脸，上面戴着一付宽边眼镜。

“陈真!”他惊讶地叫起来。

那黑影照常地坐在方桌旁边的一把椅子上，在书堆里拿了一本书翻开来看。

“你已经死了！我们今天才埋葬了你!”

“那只是假象，我并没有死，”那黑影抬起头看他，那一双发射出绿色光芒的眼睛定在他的脸上。但那双眼睛马上又埋下去了。接着是一阵使人颤栗的惨笑。“我并没有死，我是不会死的。”

“我不相信，你拿假象来骗我!”吴仁民半愤怒半惶恐地说，好像在和自己争辩，他想他的面前似乎并没有黑影，那只是心的幻象。“你已经死了，一辆汽车在你的身上驶过，就把你的生命取去了。我们已经把你埋葬了，永远地埋葬了。”

又是一阵惨笑，这一次黑影并不把脸抬起来。“你以为一个人能够死得这么容易吗？我费了一生的精力来做一件工作，现在这工作还没有完成，我就能够闭了眼睛死去吗？一辆汽车，几个兜风的男女，这和我一生的努力与工作成绩比起来，算得什么一回事？他们决不能够毁灭我的。我是不会死的。我要留一个长长的阴影在所有的人的头上，使他们永远不会忘掉我。”

“你在说谎!”吴仁民好像在和自己争辩似地说，

“我们就会忘掉你的，而且方亚丹已经说过应该把你忘掉了。你不会留下一点阴影。就在现今，人们一样地在享乐，在竞争，在闹意见。而且每天晚上甚至在深夜，你在这房子里就可以听见许多兜风的汽车驶过，也许每天晚上都会有一个像你那样的牺牲者，然而你呢，你在什么地方呢？你的阴影又在什么地方呢？我说，只要过了一些时候，别人提起陈真就会惊讶起来：‘好陌生的名字啊！’你还拿永生的话来骗自己！我不相信，我什么也不相信了。”

那黑影又把头抬起来，一双绿色亮眼睛锐利地在吴仁民的脸上轮了一转，这眼光非常深透，使得吴仁民的脊梁上也起了寒栗了。突然一个陌生的庄严的声音响彻了房间：“你说我什么时候曾经对你说过谎？我从不曾欺骗过自己。我告诉你：我们的努力不会白费的。将来有一天那洪水会来的。那样的洪水，地球上从来不曾遇过。它会来，会来淹没那一切，扫除一切，给我们洗出一个新鲜的世界来。那日子一定会来的。你现在应该忍耐。”

提起忍耐两个字，吴仁民的愤怒又被激起来了。他瞥见了那黑影手里的书，“社会科学丛书之一”几个字卤莽地撞入他的眼帘。他知道这正是陈真著的那一本解释他们的主义的书，在青年中间散布得很广。“忍耐？你也要说忍耐？究竟还要忍耐多久呢？是不是要等到你这本书传到了每个人的手里每个人都能够了解它的真义的时候呢？我告诉你，那一天是不会有的。书籍根本就没有用。如水不就是被书本弄成了现在这样子吗？还有剑虹，简直成了一个书呆子。老实说我现在不再拿读书的话骗人了。我在大学里教了差不多两年的书，还没有宣传到一个同志而且连给资产阶级培养子弟的功劳也说不上！把你的社会科学收拾起来罢，要革命，还是从行动做起，单是在一些外国名词里面绕圈子是不行的。我说现在的社会科学确实需要大革命。全世界的学者如毛，但是到了大革命发生时便是连他们也只配陈列在博物馆里了，我们不能够让青年再中他们的毒。”

“你为什么对我说这些话呢？你知道我不是那样的人。”这不再是陌生的声音，他认得这是陈真的。他知道陈真是怎样的一个人：抛弃了富裕的家庭，抛弃了安乐的生活，抛弃了学者的前途，在很小的年纪就加入到社会运动里面，生活在窄小的亭子间里，广大的会场里，简陋的茅屋里，陈真并不是一个单在一些外国名词中间绕圈子的人。他怎么能够拿那些话来责备陈真呢？他想：“我错了。”但忽然他又警觉似地自语道：“陈真不会到这里来，我是在和我自己辩论罢？”

“我们是应该忍耐的。这不是说忍耐地受苦，是说忍耐地工作，到最后胜利的时候。那一天会来的，虽然我们自己不会看见，但那一天是一定会来的。”这又是陈真的声音。

他的头脑发生了热和痛，陈真的话直向着他的脑子射来。他想一定是陈真在这里说话，因为他决不会和自己辩论，向自己预言，因为他决不是一个说教者！

“这是你，这一定是你！”他狂热地叫起来，“我在和你辩论说话的一定是你，因为你是一个说教者！不是我。”

然而这一次他错了，说话的确实是他自己，这屋里并没有陈真，他在和自己辩论。

他的叫声使他力竭了，可是在这屋子里并不曾生出一点回响。除了他的头脑外，再没有一件东西感觉到他曾发出过一些叫声。

屋子里老是静寂寂的，直到三四声尖锐的汽车喇叭声响起来的时候。

夜来了，屋子里黑漆漆的，他不知道夜是早或是迟，他也不去摸表出来看。

他伸长地躺在沙发上，身子软弱无力，连动也不想动一动，他觉得自己已经死过一次了。

三

“你的那本书，妃格念尔的《回忆录》我拿给佩珠去看了。前几天忘记告诉你，”一天方亚丹来看吴仁民的时候这样对他说。

“她不见得就了解罢，”吴仁民随便应了一句，态度很冷淡，依旧在抽他的纸烟。

“为什么不了解呢？那真是一本好书，我读了，我的眼泪也流在那上面了，”方亚丹热情地说，两只眼睛光闪闪的。

“这样容易流眼泪，你们的眼泪太多了。”吴仁民冷淡地说，其实这冷淡只是表面的，他的心里却有一团火在燃烧，“我们除了眼泪外还应该有别的东西流。”

“你只会说空话，正和妃格念尔叙述的她读过的一首长诗里面的英雄一样，”方亚丹气愤地说。“到处散布雄辩的话语，然而只限于空谈，决不曾做过一件实在的事。话语纵然说得激烈，终于是话语。”

“是的，你们连激烈的话语也不敢说，”吴仁民只说了这一句就闭住了口，因为他忽然记忆起了陈真的话，原来当初陈真把这本书送他的时候陈真曾经对他说过：“我已经把它读过了四遍，我每读一遍总要流不少的眼泪。我在哭我自己，我自己太软弱了。”于是他忘记自己地高声接下去说：“我们太软弱了。”他又改变了语调说：“我们都是说空话的，无论是到外国去，或者留在国内，我们都是一样地过着小资产阶级的生活，而且说空话。陈真也许是对的，我们太软弱了。在那样的一个女性的面前我们的确都应该流泪。”这声音并不是寻常的赞叹的声音，这里面荡漾着渴望，愤怒和悔恨。

方亚丹起先并不说话，他被吴仁民的话语感动了，然而在他与吴仁民之间究竟隔了一些栅栏，两样差异的性格是不能够达到完全的相互了解，不仅是因了年龄的相差。方亚丹的经验比较是少些，他是更乐观些；和每个新加入到社会运动里面的青年一样，他没有什么创伤，他只顾看前面，决不曾想到回顾上面去。

“仁民，你近来太激动了，同时也可以说是太伤感了，”方亚丹诚恳地劝慰说。“像这样下去，我恐怕你会变成一个罗亭式的人物。难道你的思想上起了动摇吗？不然你为什么这样烦燥？”他说到最后想把话收住，但已经来不及了，因此他颇有点后悔，觉得不应该怀疑这比较老一点的同志。他很想再说几句话补正他的前言，可是吴仁民已经接口说下去了。

“你不了解我，亚丹，你还不了解我。思想上起动摇，那决不会的！这伤感，这烦燥，是对于某一部分同志的反感，同时也正是一种新的生活的酝酿。是的，一种新的生活，我要把过去的生活结束了。以后至少也得做一个像陈真那样的人，不再在书堆里或者外国名词中间绕圈子。也许我的旧习惯太深了，很难摆脱掉，得不到新生也未可知，但我总要努力挣扎，结果如何你将来看着罢。如果得不到新生，就让他彻底灭亡，我不愿意再在矛盾中间过活。而且我劝你，以后不要过于迷信剑虹，否则你将来会后悔的。”

“仁民，我总觉得你有些成见，你为什么故意和他作对呢？他在中国的确是一个很难得的人。他的信仰的坚定也是一般人所不及的。不然为什么会有许多青年那样相信他，甚至把他当作父亲一般地看待？你看，这样大的感化力量！”

“是的，这样大的感化力量！却不能够感化自己的女儿，”吴仁民冷笑地说。

“这又是你的成见了，”方亚丹半笑半气地说。“佩珠也是一个很好的女子，很可爱的女子，思想似乎也不错。她对于你又有过什么恶感呢？你这样不满意她！”

“一个很好的女子！我只记得陈真的话：一个小资产阶级的女性。陈真常说的三女性中，两个已经有了归宿，现在只剩她一个了，且看她的结局又如何。”吴仁民说罢，又冷笑起来。

这时候，被称为“小资产阶级的女性”的李佩珠却在自己的房间里，躺在一把藤椅上热心地读着一个寒冷的国度里的革命的女性的自传，那一本使得许多人流泪的《回忆录》。她已经接连地读了几天了。

她的英文程度使她不能够读得很快，但她却并不因此减少一点兴趣，至少她懂得大意，并且陈真在重要的地方还附了译文。那一本十六开本的大书里面的每一个字，即使是不认得的，也都像一点火星似的把她的血点燃了。她的心开始发热起来，额上冒着汗珠，脸红着，心怦怦地跳。好像她的全个身体里有什么东西要满溢出来一般。她自己也不知道这是什么缘故，不过她觉得有一种含糊的渴望在身体内呼唤她，这种渴望是她从前不曾意识到的。

在她的手里躺着那一本神奇的书，她从来不曾读到过这样神奇的书。从这书里面一个异邦的女孩站起来，在她的面前发育生长，长成一个伟大的人格，抛弃了富裕的家庭，离异了资产阶级的丈夫，到民间去，把从瑞士学来的医学知识用来救济贫寒的乡村的农民，经历过了种种的革命阶段变成了一个使沙皇颤栗震恐的“最可怕的妇人”，一个指挥革命运动的最伟大的领袖，一代青年的指路的明灯，于是在黑暗的牢狱里被埋葬了二十三年以后，生命来叩门了，她又以新生的精力重回到人间，重回到社会运动里来。这是何等样的崇高的精神，坚决的性格与信仰，人格的吸引力！

这一切并不是李佩珠所能够完全了解的。这种生活方式和她的离得太远了。虽然以前从父亲那里她也曾听到过关于这种生活方式的话，但她只有一点很含糊的概念。如今它是具体地显现在她的眼前了，完全出乎她的意料之外，新奇而又富于诱惑力。固然它是高到她所不能够达到而且也没有野心达到的程度，但它究竟是值得憧憬的啊！

一段话鼓动了她的全个心灵，这一段话是被陈真用铅笔画了出来而且附了译文在旁边："有一夜我从梦中醒起来。这是夏天，人人都睡了，不过我们的两个亲戚还坐在洋台上闲谈。……她们在谈论我和我的二妹利狄亚，说：'利狄亚会变成一个很好的妇人；她会是有用的人。然而薇娜却只是一个美丽的木偶。她倒很像那个挂在她的房里的好看的红灯笼。在向外的一面是很好看的，但在靠着墙壁的一面都是空的。'我把头埋在枕上，伤心地哭着。这时候我一边流着眼泪，一边问我自己怎样才做一个好人。"

这一段话不仅指示出来一个美丽的木偶居然会变为崇高伟大的精神，因而给了她一线的希望；不仅因了陈真的那些似乎还在跳跃的细小的字迹使她确信这一段话曾经怎样地影响过那一个她所敬爱的人，是的，虽然她不很了解他，但是她因了父亲称赞他的缘故，她也多少敬爱他，尤其是在他死后。这一段话同时还使她记忆起了一段往事。于是她的过去十九年的岁月又连续地浮现在她的脑里了。

五岁时失掉了母亲，得着祖母和父亲的钟爱，跟着父亲生活一直到祖母死的时候。祖母一死，父亲便解散了家庭离开故乡到外面去从事革命的活动。她被寄养在一个女学校里，那里的校长是她的亲戚，那时候她才十岁。在那学校里，在那个思想陈旧但人却温和的亲戚的照料之下过了五年，这其间父亲的信函成了她的精神上的唯一安慰和指导，可是这样的信函来得并不多，因为父亲在外面的生活是很忙碌。她的生活因此变得更孤寂起来，但父亲的爱依旧温暖着她的少女的敏感的心，甚至使她常常忘却了孤寂。孤寂袭来的时候她屡屡拿微笑来驱散了它。这微笑有时是颇凄凉的，但常常含着温柔的爱的回忆。她的不喜欢多说话的习惯就是从这来的。不过因为有了温柔的爱，或者爱的回忆来温暖她，所以她便不曾变做一个阴郁的人。五年过去了。过惯了亡命生活的父亲忽然又安居在这一个大都市里，便把她从故乡接了出来，让她继续在一个中学毕业后就和父亲住在一起跟着父亲研究一些文艺上的知识和外国文。

在她中学将毕业的那一年，某一个春天的晚上，她已经睡了，偶然从梦中醒来，听见两个同学在谈论毕业以后的问题，一个忽然说："我看佩珠将来一定会吃男人的苦头，她太软弱了，而且质地太平凡，不会有什么成就，她的希望本来也就不大。"这几句话刺在她的心上。她不敢咳一声嗽，怕使她们知道她已经醒过来听见了这些话。她却用被蒙盖了头低声哭起来，哭湿了一个枕。

这样，她也有过和妃格念尔的类似的遭遇了。她也像妃格念尔那样伤心地哭过了。女人的心并不是善忘的。她后来也常常想到那几句话，她屡屡问自己，问父亲道："我果然是太软弱，太平凡，不会有什么成就么?"她自己虽然不敢给一个否定或肯定的回答，然而在心里却有一个声音，她自己甚至不认识的声音叫起来："我不能够是这样!"她还不能够知道这是什么样的呼声。她的父亲似乎更知道她，他回答她说："你还年轻，还不知道自己。你并不是太软弱太平凡的人，如果你将来不会有什么成就，那是我的错，因为我为了自己的事常常忽略了你，而且又不曾好好地帮助过你发展，同时我的经济能力太薄弱了，不能够供给你受很好的教育。"于是一个微笑驱散了她的不愉快的思想。她被父亲的爱感动了。她想只要有着父亲在身边，即使将来没有什么成就，在她也是无足轻重的。她太爱父亲了，因为她曾经从父亲那里得到慈母般的爱护，因为只有父亲是她的唯一的亲人；而且在五年的长期分别之后，那种渴望使她的爱慕变得更为热烈了。

父亲也是很爱她的，差不多完全过着斯多噶派的生活的父亲对于待人接物的态度是十分严肃，在平常他很少和别人做一个笑脸，说一句笑话，对于所有来拜访他的青年，他总是拿出父亲般的态度诚恳地劝导他们，因此引起了他们的尊敬。的确，他是值得他们的尊敬，他自己过着极其刻苦的生活，使人觉得他吃饭穿衣单是为了维持自己的生存来继续工作，他好像是只为了工作而生活的。他没有个人的爱憎，没有个人的欢乐，没有个人的计较。总之，他有着可以做个教主的条件。而其实他原不是这样的一个人，不过极力压制着自己勉强来做这样的一个人罢了。所以他对待女儿的态度又完全两样了。他的笑容只有他的女儿可以看见，那是她的特权。这笑容给她填补了她不曾从人间得到的一切，这笑容把一个父亲和一个女儿连系得很亲密，而且这笑容使他们更近于互相的信赖了。

她自己并没有澈底的思想，正如她的父亲所说。她有时候盲目地接受了父亲的思想，不管这是否为她的知力所能够了解，只因为她信赖父亲，所以也信赖父亲的思想，然而有时候她也怀疑起来，不过她也不去深想。最重要的原因，是她的面前从来没有放着严重的问题，一切都已经由父亲给她解决了。

的确，父亲是爱她的，因为爱她，所以他不愿意让她也过着他那样的刻苦生活。他是靠着译书卖文过活的，有时也偶尔在大学里教几点钟的课。经济的来源自然并不丰裕。他便让自己一个人吃苦，而使他的女儿过着稍微富裕一点的生活。譬如在家里做饭，他自己愿意吃素，却为她特别预备了一碗肉。她了解父亲的心情，而且她究竟太年轻了，不是预备来过斯多噶派的生活的，所以她也坦然地接受了，或者这不能说是坦然，更应该说是感激。总之她让父亲这样处置。又让这处置成了习惯。结果她便被陈真取了个“小资产阶级的女性”的绰号，而且被吴仁民拿这个来做攻击她的父亲的资料。吴仁民因此常常嘲笑李剑虹不能够感化自己的女儿。

然而这两父女是过活得很和平的，他们都感到满足，没有什么缺陷，没有什么悔恨。彼此都成了另一个的唯一的安慰和帮助。是的，彼此帮助，无论在生活上或工作上。她有时也帮忙父亲抄录稿件。自然除了这个，父亲还有信仰，还有事业；女儿还有女朋友，在某一个时期内她和那两个性格不相同的女朋友张若兰和秦蕴玉过往得颇为亲密，恰巧凑成了陈真的“三个小资产阶级的女性”的数目，从她们那里，她也曾受到一点影响，一点使她接近于小资产阶级的影响，然而如今她们都离开她去远了。秦蕴玉还偶尔从美国寄一两封信来，前几天的来信甚至赞美好莱坞的电影艺术，纽约城建筑的华丽，汽车的众多，以及夜生活的神秘有趣；差不多要变做了资本主义文明的崇拜者。张若兰嫁了丈夫后就规规矩矩做起温顺的太太来，跟着丈夫到辽远的省分去了。这两件事很引起她的反感。尤其使她觉得难堪的是父亲常常说起“女性脆弱”的话，她因此常常对父亲暗示说，她将来决不做一个脆弱的女性。然而怎样才算得是一个不脆弱的女性，她还不十分知道，她只明白至少不会是张若兰，秦蕴玉一流的人物。自然在那两个脆弱的女性之后，她又有了几个比较年轻的女友，至于她们是否也是脆弱的女性，她现在还不知道。

然而如今一个不脆弱的女性的典型站在她的面前了。这就是薇娜·妃格念尔。在这女性的面前许多的男子诚恳地感动地低了头，许多的青年男女看出了照耀在暗夜里的明星。这太光荣了。纵然她不能够明了这女性的思想，但是那种热烈的献身精神，生死相共的友情和火一般燃烧的字句是谁都能够了解的，谁都能够被它们感动的，她当然不会是个例外。何况她因了父亲的关系曾经常和那些从事社会运动的人见面谈话呢。

她读着，她热心地读着。这一本神奇的书把她的全个灵魂都扰动了。这不仅是借书给她的方亚丹和说她不能够了解这书的吴仁民料不到，连她的父亲也料不到，而且甚至她自己也料不到的。一本书对于一个青年会有这样大的影响。这似乎很令人不相信，然而实际上这是非常简单的事；她的身体内潜伏着的生活力的过度激动着她。她的精力开始在她的身体内漫溢起来，需要着放散了。她到了这时候已经不能够单拿为自己努力的事来满足了，她有着更多的眼泪，更多的欢乐，更多的同情，更多的爱，需要用来为别人而放散。所以她的心鼓胀起来，她的眼睛也润湿了，有时候还落了两三滴眼泪在书上，但她并没有悲哀，她只感到一阵痛快。

忽然她珍重地阖了书，捧着它急急跑到父亲住的前楼里，热情地对父亲说："爸，告诉我，这本书在什么地方可以买到？告诉我还有多少这类的书？"她把手里的一本书放在桌子上，放在父亲的手边。

李剑虹正埋着头在写文章，听见她的声音，便惊讶地抬起头。他的眼光起先定在她的激动的脸上，然后又落在书上，他微笑了。他温和地回答她说："这类的书是很多很多的。我倒也不十分清楚。不过吴仁民也许知道，听说陈真有些这类的书，现在都在他那里。你喜欢读它们吗？可以去向他借。"

四

吴仁民到会馆的义地上去看了陈真的坟墓。一个小小的土堆上面盖了一些青草，前面竖着一块小石碑，写着陈真的姓名。在远处看，这土堆夹杂在别的许多坟墓中间，一行一行地排列在那里，看不出一点分别。

“陈真活着时他常常表示和别的人不同，可是如今他死了，他就和别的人没有两样了，”吴仁民禁不住这样想；他心里便起了一阵痛楚。

在前面一排的一个坟墓旁边站着一个女郎。她穿着蓝布旗袍，手膀上缠了一条黑纱。长长的黑发差不多要垂到肩上。阳光在那上面闪耀。吴仁民只看得见她的侧面，但也看不清楚。

过了一会儿女郎往外面走了，她的脚步下得很慢，而且常常回头去看她别了的那个坟墓。

她走过吴仁民的前面，把脸掉过来，望了他一下。她的眼光和吴仁民的正对射着，她的眼睛里现了惊讶的表情，她略一停顿，过后就把头掉开了，依旧缓慢地往外面走。

吴仁民看见了她的脸，是一个凄哀的，但美丽的面貌。这面孔并不是十分陌生的。他好像在什么地方见过她，却又想不起来。他便跟了她走出去。

她的高跟鞋的声音有节奏地送到他的耳里。她的细长的背影遮住了他的视线。他跟着她走。她并不回头看，好像不觉得似的。她不坐车，他也不坐车。他没有目的地，只是盲目地跟着她走，直到一只手膀抓住了他。

他惊觉地看，是周如水站在他的旁边，带笑地望着他，一面说："你在干什么?"

吴仁民一时回答不出来，他急急掉头去看前面。那个女郎已经看不见了。许多男子的背影在他的眼睛前晃。他惋惜地叹了一口气。

"你又在想女人，是不是?"周如水嗤笑起来。"但是如今不是春天了。"

吴仁民生了气，涨红着脸责骂道："你懂得什么?你只配做茶房！还是规规矩矩去做茶房罢。"

周如水的脸上发红。这做茶房的话是有典故的。因为周如水近来对李佩珠非常殷勤，方亚丹便嘲笑地称他为"李佩珠的茶房。"他自然不承认这称呼，但是事实上他伺候李佩珠恰像一个茶房，而且比普通的茶房还更体贴。

“做茶房？我不承认！谁说的？”周如水起劲地说。

“你去问亚丹罢，我用不着管。谁做过茶房，谁明白！”吴仁民嘲笑地回答。他接着又问：“你现在到什么地方去？”

“我随便走走，我一个人在家里闷得很，出来散散步，”周如水庄重地回答。

“为什么不去陪李佩珠？如今不是春天了，又有什么烦闷？”吴仁民嘲笑地报复说。

“不要说笑话了，我们还是说些正经事。我正想找你谈谈，我们就同路走罢，我也要到你的家里去。”周如水换过话题说，他的脸上还有一点红云，但下面却隐藏着得意的颜色。

吴仁民知道周如水很高兴别人把他的名字和李佩珠的名字混在一起提说，有时候他虽也挣红了脸分辩，其实心里却十分得意，这种得意常常无意间流露出来。所以吴仁民禁不住挖苦道：“你要是下了决心做茶房，那么就快点进行罢，李佩珠的年纪也不小了，你不要再耽误她，让她做个张若兰第二。”

这最后的一句话比什么都厉害地刺在周如水的心上。张若兰这个名字他已经早把它忘掉了，但这忘掉只不过是表面的，虽然被新的憧憬掩盖住了，但这个名字给他遗留下的创痕并没有完全消失。所以一旦有人在他的面前提到这个名字，他就会忆起那个圆脸的女郎来。那个女人曾经怀了全量的爱来帮助他，来拯救他，他却拿猜疑和犹豫把她拒绝了，让她后来去嫁给一个留法归来的大学教授；他每一想起她，一阵痛悔就会来咬着他的心。这时候他就没有力量来抵抗别人的嘲笑了，好像一个被缴了械以后的兵士。

“张若兰，不要再提起她了，我请求你，”周如水烦燥地说，完全失了镇静的态度。“我现在是要把过去深深地埋葬了，完全埋葬了，做一个新的人。我请你们以后不要再提起我的过去的事！”

吴仁民冷笑了几声，不表示他的态度。

“我以后要学学做剑虹那样的人。自然我做不到他那样子，那是很难得的。剑虹这人真可佩服。”周如水兴奋地说下去，他显然是在和自己挣扎。他称赞李剑虹，是要借李剑虹的力量来压倒另一个自己。“剑虹真难得，只有像他那样的人才算得是革命家。你不行，你太浪漫了！”

“是的，只有斯多噶派才配做革命家，同样也只有斯多噶派配做伪善者，”吴仁民生气说。“我自然不配。不过我记得剑虹对谁说过‘周如水太颓废，很少希望’这类的话。……”

“我不信，你说谎！”周如水起劲地插口分辩说。

“我何必说谎，我又不把剑虹的话当作圣旨！我要骂你就用自己的话骂你好了。何必要捏造剑虹的话来骗你!”吴仁民冷笑说。

“我不再和你争辩了。总之，近来你的个人主义的倾向很浓厚。”周如水明白和吴仁民争论下去占不着一点便宜，他就不再吵了。他做出庄重的样子说：“我还有正经的话和你说。第一，小川后天从法国回来，你预备去接他吗？第二，佩珠还要向你借几本书，我替她拿去。”

“还有第三件吗?”吴仁民突然插口问。

“没有了。你后天究竟到码头上去不去？去的人恐怕很不少。剑虹，佩珠，亚丹他们都去，还有几个朋友,”周如水微笑说。

“我大约不会去,”吴仁民冷淡地说。“你们已经有很多的人了。”

“我们希望你能够去。多一个人更热闹一点。朋友中没有一个人不想和小川见面的。佩珠的两个女友也要去。她们从前本和小川认识,”周如水起劲地说。

“到那时再决定罢,”吴仁民淡淡地回答。他心里想：“小川回来，又多一个领袖了。”脸上现出一阵惨笑。这笑里也许含有妒忌，也许含有寂寞。许多时候来藏在他的胸里的愤懑又扬起了烈焰。那个永远不能够解答的问题又来追逼他了：为什么在李剑虹这般人的周围常常会聚着不少的信徒，而他，他怀着一颗诚挚的心去接近一切的人，去向他们宣说他所真实感到的，他所坚决信仰的理论，结果却使他变成一个最孤立的人，被加上了“轻浮”“卤莽”“浪漫”这一类的评语。他觉得自己并没有错过，但他为什么要受这处罚呢？

这时候周如水还絮絮地在他耳边叙说张小川的种种好处，以及他这几年来在巴黎留学期中的惊人的进步，但是吴仁民早已不去听他了。这两个人走在同一条路上却怀着两颗心。

上了电车。在一个电车站上有些客人上车来，中间有三个女郎。

“你看，佩珠她们来了，”周如水突然用肘去触吴仁民，微笑地低声说。

吴仁民把头略略动了动，不说话。

在另一个电车站上又上来一些客人。新来的乘客不住地往里面挤。把下车的客人留下的空位填补了。李佩珠往里面移动，差不多要到了周如水的面前。

“佩珠，”周如水温和地唤了一声，便立起来让座位给她。

李佩珠和他招呼了，又招呼了吴仁民。她并不坐下去，却把座位让给那两个女友。

三个女郎谦让着，为了一个座位。但吴仁民也站起来了。

终于是另外的两个女郎坐了下去。她们稍微坐得逼近一点让出一点地方来给李佩珠坐。李佩珠把她们介绍给那两个男子。周如水很高兴地和她们谈话。

那两个女郎都有着圆圆的脸，年青的一个稍微瘦一点，比较好看。两人的面貌相差不多，是两姊妹，姓龚，名字是德婉和德娴。

“佩珠，我刚刚到你家里去过，没有见着一个人，剑虹也不在家，”周如水说。

“爸爸出去打听小川先生乘的轮船后天几时可以靠码头，”李佩珠微笑地回答说。“我被她们两位约去看电影。现在才从电影院出来。……但是周先生怎么会在这电车上，到什么地方去了来？现在又是到什么地方去？如果没有事情何不再到我们家里去坐坐。爸爸现在一定也回来了。吴先生也去坐坐吗？”

“我没有事情，不过随便走走，现在可以陪你去，”周如水马上现出满意的样子说。

吴仁民暗地一笑，但也没有说什么。心里想：“你方才不是说有话和我谈；要到我那里去吗？可是现在见了女人就要跟她走了。真正是个色情狂！”这色情狂的绰号也是陈真替周如水取的。陈真死了，而这个绰号却没有死。

电车到了某一个站头，周如水跟着那三个女郎下了车。吴仁民一个人留在那里，留在那拥挤的群众中间。电车继续往前进。开车的也许不是个熟手。车身震动得很厉害，使得乘客时时向左右倾倒，于是发出一阵哄然的笑声。但拥挤并没有停止。吴仁民望着那些蠢然的笑脸，他的心突然感到寂寞起来。他是这样的一个人，在热闹的群集中间他常常会感到孤寂。比如在电影院，在剧场，厅子里坐满了观客，四周围都是笑语和吵闹。这时候他的心就会感到剧痛，他会感到沙漠上似的寂寞。在这热闹的人间似乎只有他一个孤寂的人，他的渴望，他的苦痛是完全和那些人的不相关联。永远没有人了解他，也没有人顾念他。他无论在什么地方总是一个孤立的人。

电车到了一个站头，他应该下去了。但他却并不动。他不想回家去。他忍受不住家里的那种孤寂。这几天来对于他那个房间差不多变成了囚室或坟墓，在那里只有寂寞和死亡。他不愿意回到那地方去。他让电车把他继续载往前面走。

电车到了终点。所有的乘客都走下车。他也下来了。他在石子铺砌的路上慢慢走着。他不知道为什么要到这地方来，也不知道现在要到什么地方去。

自然这城市是很大的。在这里有几百万的居民。但这和他有什么关系呢？那几百万人都是陌生者，没有一个会关心他的命运。他也许会死在这里，他也许会叫破他的喉咙，没有一个人来管他，也没有一个人来听他。“轻浮”，“卤莽”，“浪漫”这些评语像石子一般打击在他的头上。他的那些朋友现在也向他掷石子了。

“就忘了这个世界罢。这个卑下的世界！就索性让它毁灭也好！完全毁灭倒也是痛快的事，比较那零碎的，迟缓的改造痛快得多。”他这样自语着，突然一种破坏的激情把他完全占有了。他想到了他所私淑的一个革命者的话：“破坏的激情就是建设的激情，那是一切生命之永久创造的源泉。”这时候他觉得他彻底了解这句话的精义了。

但这了解也没有一点用处，它并不能够减少他的苦闷，它并不能够改变他的环境。相反的，反而使他更觉得自己的脆弱了。他脆弱到只能够诅咒，只能够呻吟。

他在街头走了一些时候，又觉得这样走着更是无聊，忽然想起回家去睡觉，便搭了电车。电车很快地就把他载到目的地。现在他是向着回家的路上走了。

在路上他的脚步依旧下得很慢，他一方面想回家，一方面又似乎害怕回家。他还不能够毅然决定要怎样办。他只是挨着时间。但是他终于走到了自己住的地方。

他去开住房门上的锁，才发见他出去的时候忘了把门锁住。他推开门进去。

房里有一个人站起来迎接他。他惊喜地叫起来：“怎么，志元，你来了？”

“我等了你许久了。我看见你没有锁门，以为你马上就会回来，谁知等了你这许久。我正想走了。”

“你从Y省来的吗？怎么你事前不给我一封信？你

的行李呢?”吴仁民高兴地说,他完全忘却了先前的寂寞。

“我是最近才决定的,来不及通知你们。我很早就想离开那里,但总没有机会。我忍耐了许久,直到最近我实在忍受不住了,我便下了决心不顾一切地跑出来了。现在不晓得这里有什么事情给我做。……我的行李还在旅馆里。”高志元一面说,一面摇动他的身子,他似乎连五分钟的耐性也没有。他很少时候能够安静地在一把椅子上面坐到一刻钟的。他是一个三十岁光景的人,一个方脸,一张阔嘴,唇上几根须髭。说话时声音不很清楚。他这个人连自己的姓也念得不准确。但是吴仁民却能够听懂他的话。在他们分别了三年以后,他的音调并没有大的改变。

“好,你来得正好。我现在正感到寂寞,你就住在我这里好了。我们就去把行李搬过来罢,”吴仁民欣慰地说。

“我很疲倦,今天不必去搬行李,反正是要出一天的旅馆钱。剑虹他们呢,他们都好吗?”

“剑虹他们还活着,只是陈真死了。你知道吗?”

“不是你写信告诉我的吗?你居然就忘了!陈真真是死得可惜。他那样不顾性命地努力工作,我早知道他的肺病会把他带去的,但想不到他会被汽车压死,而且这样快。”高志元的脸上笑容立刻敛了迹。他叹息地接连说了两句："我来得太迟了，太迟了！"

"是的，我们做事从来是太迟的。剑虹他们好像总觉得我们有的是更多的时间，"吴仁民愤激地说。"只恨我没有方法使他们那般人的眼睛大大地睁开。"

"这不能怪剑虹，他们并没有错过。如水写信来说，你爱和剑虹闹意见，是吗?"高志元说着好像自己抱着超然的态度，来说几句公道话。

"那么你就相信吗?"吴仁民突然问道，他的脸色立刻变了，别人不知道他这时候心里究竟在想些什么。他坐倒在沙发上，从衣袋里摸出了烟盒，取了一根纸烟点燃来狂抽。

"我也不能够完全相信。但是你的性情我是很明白的。你好像是一座火山，从前没有爆发，所以表面上似乎很平静，现在要爆发了。你会喷火喷到每个人的身上。剑虹是一个上了年纪的人，自然要冷静些。但是在革命运动中冷静的人也是很需要的，"高志元平静地说。他把两手插在白羽纱的西装裤袋里，在房里慢慢踱着，不时去把吴仁民看几眼。

吴仁民不答话，只是狂抽他的纸烟。烟雾遮住了他的脸。抽完一支他又开始抽第二支。

"看你抽烟，我就想起了我的喝酒。我的酒量恐怕可以和你的烟瘾一比，"高志元微笑着说。

"好，我们就去喝酒罢，"吴仁民突然站起来把未燃完的纸烟头狂吸一口，就掷进痰盂里面去。他用手拍去身上的烟灰，预备出去。

“还早呢！现在天还没有黑，我想先去看剑虹，”高志元提议说。

“现在就去酒馆罢。早一点更好，我们可以多谈一些话。你这几年来一定有许多话可以对我说的，我也有不少的话要告诉你，”吴仁民决然地说。

高志元并不违拗他的意思。两人便走了出来。这一次吴仁民并没有忘记锁门。

他们选了附近的一个天津馆，走上楼去，拣了一个干净的桌位，两人对面坐了。吴仁民向伙计点了几样菜，又要了两斤花雕酒。

时候还早，窄小的楼上并没有几个客人，还有两三张桌子空着。两人喝着茶等候菜端上桌子。

伙计把酒烫好送来，吴仁民又叫了两三碟冷菜。两人便对酌起来，一面喝酒，一面谈话。

“我想不到现在又会在这里喝酒，”高志元喝完了一杯，便感慨似地说。“我回去的时候本是预备至多住一年就出来，谁知竟然耽搁这许久。我带了些西文书回去，但是回到家里就没有机会读它们。在我们的省分里我不能够做一点事情。那里太黑暗了，只要多说几句不中听的话，就有被杀头的资格，你简直想像不到那里的黑暗。”

“为什么这里的报纸不披露这类的消息呢？我们从报纸上简直看不出一点关于你们的省分的消息！”吴仁民直率地问。

“那黑暗，那专制，你怎么能够知道？”高志元正举起酒杯喝酒，突然把酒杯放回到桌子上，做出一个响声，那神气像是要把酒杯往地下抛掷一般。“你怎么能够说话呢？他们差不多把你的舌头割去了一半。是的，我们连说话的自由也没有了。青年学生只要看了两三本社会科学的书，或者说几句对时局不满的愤激话，就会被校长检举，有时候甚至于被拉出去杀头，罪名是通匪。你想什么人还敢说话呢？现在我们那里的青年学生没有别的事做，就是讲恋爱，读爱情小说。你要和他们谈思想，结果不但会送掉你的命，也会送掉他们的头。你想，我怎么能够安静地住在那里？我怎么能够做一点事？我的这几年的光阴是完全浪费掉的。”

“我还不是和你一样？我们这里确实比较你那里要自由一点。但是我也没有做出一点事情来，以前是因为有瑶珠，现在是因为别人说我爱闹意见。是的，我永远是孤独的，热情的，我永远是卤莽，蠢动，说大话做小事，像罗亭一样：他们这样批评我。我在大学教书总不免要和校长或同事发生争执被强迫离开，在两年中间我换了三个大学教书，结果都是一样。我看不惯那般人的卑劣行为！什么教育，什么宣传，在那里一点也说不上。

直爽地说，是在陪资产阶级的子弟开开心，自己骗骗饭吃。或者给一些小姐添点妆奁好去嫁给一般阔人。所以我后来发誓不去教书了。我说要到工会里面去做点事，但是工会里又有人猜忌我，他们说我的个性太强，不能够做事。只有蔡维新还和我比较接近，但他也不很了解我，他也说我性子暴燥，主张激烈。还有在我们自己的团体里，同志们也不相信我，他们大半都是附和着剑虹的，是的，我自己也觉得有点和罗亭相像，永远不能够和人妥协，永远不能够认识人。我和一切的人做朋友，我相信他们可以了解我，但结果仍然是这样，我恨不得把这世界一拳打碎，”他说到这里便举起酒杯，喝了一个满杯，放下杯来。忽然把拳头往桌面上一击，但并不很用力。伙计跑过来问他要什么。他圆睁着眼睛把那人望了一下，用粗暴的声音说：“再拿两斤酒来。”

高志元微笑地在旁边望着并不阻止他，放下筷子，把身子向后面一仰，靠在椅背上，一面说：“罗亭到底是一个好人，他终于为他的信仰牺牲了性命。他并不是一个说大话做小事的人。不过平心而论你的计划确实太多了。我相信你的箱子里一定还有不少未曾实现过的计划书。”

“是的，我为所有的人都草了计划书，我相信都是可以实行的，但是人们都抛弃了它，说我过于空想，说我不懂得社会情形。我的精力总是白费。”

“这有什么理由值得灰心呢？你根本就不曾干过什么大的事情。说到文字宣传，你不曾译过一部大书。说到实际运动你又不曾在社会占势力。单凭着自己的一点热情盲目地干去又有什么好处呢？我劝你还是好好地振作起来，先翻译几套整部的全集再说。印费自然不会成问题。文字宣传也是很要紧的。但像现在这样出几期刊物印几本小册子是不够的，要做就应该认真做。”

“呸！”吴仁民生气地责骂说。“我以为和你分别了几年你总应该有点大的进步。谁知道你还是和从前没有两样！翻译全集正是李剑虹那般人想干的事情，他们正在着手做。你去找他们罢。至于我，我不想去干那种干燥无味销磨生命的事情。我以为出十部全集也不是什么了不起的事，中国依然不会因此得救。还是陈真说得好：‘只有行为才能够创造出一种力量。’至于书本，那只是销磨生命的东西。”

“这话我不承认，我确实相信思想能够创造行动，可怕的是自己没有坚决的思想。现在还没有脱离宣传的时期，我们不能不多做宣传工作，”高志元充满了确信地说。“你想像不到我在故乡里的生活，在那里连宣传的机会也没有。我在一个中学里教过书，但是不到半年我就走了。因为在那里我不能够说一句自己想说的话，好像是一付留声机器，只能够依照着唱片唱。而且就是这样也还免不掉有和别人争饭碗的嫌疑。”

吴仁民不说话。只顾喝酒。高志元又说下去："后来我又到一个军官学校里去。这是一个军队附设的，我有一个亲戚在那里，他约我去。我到了那里，他要我当个教员。我起初不答应。他苦苦劝我，我便答应下来。他要我教授政治。我说我根本不懂政治。他没有办法，就请我随便决定一门功课，我编了一部社会运动史的讲义，可是还没有讲到一半，那亲戚就请我走路。我也了解他，因为我再要教下去，他的位置也会动摇。"

高志元歇了歇，接连喝了两杯酒，挟了几回菜。他看见吴仁民的不作声只顾喝酒的样子，便惊讶地带笑说："你现在的酒量竟然有这么大？我记得你从前并不喜欢喝酒。"

"我近来才爱喝酒的，"吴仁民说着叹了一口气，又拿起酒壶斟酒，给自己斟满一杯，又给高志元斟了。"从前瑶珠在世的时候，她拼命反对我喝酒，我也不好十分违拗她的意思。现在没有人来管我了。我需要的是麻醉，是暖热，这人间太冷酷了！"

"有人说喝酒多的人，会活活地被酒烧死，"高志元笑着说。"这话也许有道理。你看，用火柴去点高粱酒，马上就可以点燃。"

"不过黄酒却没有这力量。我的意思是能够被烧死也好。那一定是很暖热的。"吴仁民说着脸上露了一阵惨笑，接着又叫伙计再添一斤酒来。

“好，要喝就索性喝个够。我的酒量不会比你的差，”高志元满意地说。“只是我今晚上还要去看剑虹，他看见我喝多了酒一定不高兴。他是不会客气的，有什么话就会当面说出来，不怕得罪人，永远是那道貌俨然的样子。而且当着他的女儿的面被他豁落几句，也有点难为情。”说到这里他忍不住笑出声来。

“那么，今晚上就不要去罢。他们正忙着预备去接张小川，因为小川从法国回来，后天就会到这里。”吴仁民说了以上的话，过后忽然换了语调说：“不要提说他们。我们且只顾喝酒罢。今晚上真喝得痛快。我以前连一个喝酒的朋友也找不到。……喂，喂，伙计，再烫一斤酒来。”

“够了，改天再来喝罢。我们已经差不多喝了五斤酒。你比我喝得更多些。你看，你的脸已经发红了，”高志元劝阻说。

“这算不得什么一回事！五斤黄酒！喝黄酒简直等于喝茶。你的脸完全不曾发红，你起码还可以喝四斤酒！”吴仁民大声说。

“你说小川后天就会到了。是真的？为什么他没有写信给我。他回来一定可以做出不少的事。他学识经验都有，又忠实，又热心。他的前途充满了希望。想不到我后天就可以和他见面。真是个好消息。”

“又忠实，又热心，”吴仁民反覆念道，他的脸上又露了一阵惨笑，这笑里含着妒忌和孤寂。忽然他举起酒杯恨恨地对自己说："喝酒罢。喝酒是第一件事。"

"不要只顾喝酒，我们多多谈话罢。我本来打算在一个大锡矿公司里面做点事情，我的一个同学要我去。到了那里，我自己也下矿里去看过。在那里工作的人真正苦得很，他们连呼吸空气的自由也没有。我的那个同学一定要我留在那里，他给我留了一个好的位置。但是我看过矿工的生活以后我就决定不去干了。……你也许看过《黑奴魂》这套影片，自然你读过不少关于俄国农奴的书，然而从那上面你依旧不能够推想到那些'沙丁'的生活情形。他们的惨苦比从前美洲的黑奴，从前俄国的农奴还厉害若干倍。是的，在那里作工的人叫做'沙丁'。他们完全是奴隶，被卖给资本家的。他们里面有的是犯了罪才逃到那里作工，有的是很好的外县农民受了招工的人的骗，被卖给资本家。卖身的钱是给招工的人拿去了。他们到了厂里，别人告诉他们说：'招工的人已经把你身价拿去了，你应该替我作几年的工，'如果他们不愿意，就有保厂的武装巡警来干涉。那些巡警都是资本家出钱养来压制'沙丁'的。'沙丁'初进厂里都要带上脚镣，为的是怕他们走。"高志元喝完了一杯酒，自己拿起酒壶来斟了一杯。他去望吴仁民的脸。吴仁民在那里挟菜，脸通红，眼睛里好像在发火。

"每天作工的时间很长。每个'沙丁'穿着麻衣。

背着麻袋，手里拿着铲子，慢慢儿爬进洞口去，挖着锡块就放在袋里。一到休息的时候爬出洞来，丢了铲子就倒在地上，动也不动一下，脸色发青，呼吸闭塞，简直像个死人。我走过他们的身边他们完全不知道。……我住在那里的时候一夜里听见枪响，后来问才知道一个‘沙丁’逃走被巡警一枪打死了。我不能够再留在那里了。我便对我的那个同学说：‘我不能够在这里干事。你们的钱都是血染出来的，我不能够用一个。’我就走了。”高志元说着脸上现出苦恼的样子。他把他的阔嘴张开，露出那上下两排的黄牙。他好像要怒吼，但并没有发出声音，只是喷出一阵酒气。他举起酒杯正要拿到嘴边喝，但又忽然放下来了。他掉开头打了一个大喷嚏。那声音很大，和“哎哟”相像，好像别人在鞭打他的背。吴仁民惊讶地放了筷子望着他。他却坦然地从衣袋里摸出一张纸把鼻涕拭了，又掉过脸去喝酒。

“不要再说你的事了，”吴仁民突然拍着桌子说。“那些尽是苦恼，尽是忧愁。我不要听它们。还是努力喝酒罢。喝完酒，我们找个地方去玩玩。”

“好，那么叫伙计拿饭来，”高志元同意说，这时候他已经不想再喝酒了。

两人吃完饭付了钱出来。天已经黑了。马路上电灯辉煌着。到处是人声和车声，到处是陌生的面孔。他们的发热的头被晚风一吹，竟变得昏眩起来。高志元觉得身子很是疲倦，想回去休息，便拉着吴仁民的衣袖说："不要到什么地方去了。我们还是回去罢。我很疲倦，想马上回旅馆去睡觉。"

"不要去，不要就去，时候还早咧！"吴仁民一把抓住高志元的手膀，要求似地说。"我一定要到什么地方去玩玩，我一定要找个地方玩玩，不然这颗心就没有安放处。我一定要找个地方来安放我的这一颗炭一般烧着的心。"

"我劝你还是回去睡觉罢。你今天喝三四斤黄酒，你一定醉了。我很疲倦，我要回去睡觉了。"

"志元，那不行，"吴仁民发狂似地。"我不能够回家去睡。你想心里热得像炭火在烧，我怎么能够回到那坟墓似的家里去睡觉。你以为我是一付冷酷的机械像李剑虹那样吗？"

"我一定要去睡了。我的头发昏，身子没有一点气力。这几天在船上实在困顿了，我要去睡觉。"高志元挣脱了吴仁民的手，预备走开。但他又站住带笑地劝吴仁民道："我劝他还是回去睡觉，今晚上很凉爽，正好睡觉，而且你喝醉了酒，在街上乱跑是没有好处的。你不记得我那一次的故事吗？"他说到最后一句话没有一点难为情的样子。原来他曾经有过一段这样的故事；那还是他前次在这里的时候，有一晚上已经是很迟了，他喝醉酒一个人跑出去，在路上和几个娼妓吵闹，被巡捕看见了，抓了他去，说要带进巡捕房里。那个巡捕押着他走。他一点也不惊慌，他只顾把那巡捕望着，慢慢地从衣袋里摸出一本记事册，把巡捕衣领上的号码抄下来。巡捕看见他这样做，疑心他是一个有势力的人物，便连忙客气地把他释放了。

“那一次的故事？什么故事？啊！……就是你在马路上和‘野鸡’打架的故事吗？……哈，哈！那有趣！”他说到这里看见高志元已经往对面的步道上走了，便急急跑过去抓住了他，起劲地说：“不要走，你今晚上无论如何走不脱！”

“你真是没有办法。你要到什么地方去，一个人去不好吗？……好，我陪你走一段路。我说过我只走一段路。我今天不高兴再和‘野鸡’打架了，”高志元带笑地说，便不再说回去的话。

两个人走在一条路上。吴仁民的右手还抓住高志元的手膀。他忽然松了手拍着高志元的肩头说：“好，我们到大世界去。到那里去找‘野鸡’去。……”

“到大世界去？不，我不去，那里是培养低级趣味的地方，”高志元坚决地反对说。“看影戏是可以的，但是我今晚上不能够去，我要回去睡了。”

“好，你回去罢，我现在不留你了，”吴仁民生气说。“你本来就是李剑虹一类的人，你是一个道学家。”

“我，道学家？笑话！”高志元摇头说。“我现在也不和你争辩。我知道你是用的激将法。”

“你回来，不要走!”吴仁民看见高志元果真走了，又大声挽留他。高志元并不回过头，但是吴仁民却又跑上前去把他抓住了。

“志元，你一定不要回去，你一定要陪我，我请求你。我的心热辣辣的，它跳得这么厉害，我决不能够闭眼安睡。你不知道一个人怀着这么热烈的一颗心，关闭在那坟墓一般的房间里，躺在那棺材一般冷的床上，翻来覆去，听见外面的汽车喇叭，好像地狱里的音乐，那是多么难受！这种折磨，你是不会懂得的。我要的是活动，是暖热，就是死也可以，我怕那冷静。我只是不要那冷静。……志元，我的心慌得很。我一定要到那地方去。我一定要去‘打野鸡’。那鲜红嘴唇，那暖热的肉体，那种使人兴奋的气味，那种使人陶醉的拥抱！那才是热，我需要热。那时候我的血燃烧了。我的心好像要溶化了，我差不多不感觉到自己的存在了。那一定是很痛快的。我要去，我要到那里去，不管你们的道德学说，不管你们的经济理论，我要到那里去，我要到那里找生命去。”

高志元站住了，他起初带了惊讶的眼光看吴仁民，过后又换了同情的眼光。吴仁民狂热地在那里说话，话语从他的口里吐出来就像喷泉从水管里出来一般，接连地，没有一刻停止过。他显然是醉了。但是他的这心情高志元是很能够了解的，不仅了解，而且高志元也多少有着这种渴望——热和力的渴望。所不同的是高志元不相信从那种地方可以得到热和力。

“仁民，我送你回去罢，”高志元看见旁边有几个行人住了脚在看他们，便打定了主意，对吴仁民这样说，他的声音里充满了感动。“你现在和我一样也需要休息。你醉了，你不知道你自己说了些什么话。”他说到这里就挟着吴仁民的手膀转身往来时的路走了。

一路上吴仁民依旧在说他的狂热的话，他的身子时时向两边歪，仿佛站立不住的样子。高志元很费力地挟住他，又说了许多劝慰他的话，但他好像没有听见一般。这时候他的理性已经不复存在了。热情占有着他，燃烧着他，使他成了激情的俘虏。

高志元慌张地走着，在离开了三年以后他几乎不认识这城市的道路了。他一个不留心走错了路，起初还不觉得，后来忽然发见他们是在一条异样的街道里了。是这样窄，这样脏，两边的人家有着玻璃窗门。屋檐下站了两排年青的女子，穿着红的，绿的，以及种种引人注目的颜色的衣服，每个蠢然的笑脸上堆了许多的肉，虽然这肉是被脂粉掩饰了的。都是肥短的身材，很少有长身玉立的。每个女子的口里都发出不自然的笑语声来招呼他们两个。

高志元把眼光向她们的脸上一扫，他的心里马上起了憎厌的感觉。他突然想起了吴仁民方才的话：鲜红的嘴唇，暖热的肉体，使人兴奋的气味，使人陶醉的拥抱。他去看吴仁民，他怕吴仁民会有奇异的举动。但是出乎意料之外，吴仁民却急急地拉着他往前面走，并且接连地问他道："志元，这是什么地方？这是些什么人？她们在这里干什么？"他不答话，却忍不住大声笑起来。

后来问了巡捕。他们才知道正确的路。两个人急急地走着，并不要许多时间就到了家里。高志元安顿吴仁民睡了，才走出来。

屋里十分静寂。吴仁民躺在冰一般冷的床上。他的头脑渐渐地清醒了。他完全忘了先前的事。他不知道夜是早或是迟。屋里没有灯光。他睡在黑暗里。他不能够再阖眼。黑暗向着他压下来，使得那一床薄被变得非常重。他在床上翻来覆去。总不能够镇静那开始纷乱的心曲。他愈过愈是烦燥了。后来他终于掀开了那薄被爬起来扭燃电灯。

他走到书桌前坐下，茫然地把电灯泡望了一会儿，觉得眼睛花了，才把眼光移下来又闭了一刻。于是他从书堆里随便取出一本书，翻看了两三页，觉得不入眼便抛开了，又另外取了一本，依旧抛开了。他拿了第三本书，那是陈真的日记。他翻开书页，他读着下面的话：

"人类是残忍的东西罢，没有'血'的进步在什么地方！……"

“知识是赃物。知识阶级也是掠夺者。但他们同时又还是掠夺阶级的工具。C. T. 今天来信说，英国失业工人达两百万，苏格兰 High Street 充满了啼饥号寒的声音，然而同时花两三千金镑买一辆汽车去游玩的也大有其人。还有两大经济学家天天在教室里鼓吹他们的吃人的资本主义。……”

“如果世界不毁灭，人类不灭亡，革命总会到来。可怜的是生生世世为一革命的旁观者。……”

五

欢迎张小川的宴会里少了一个吴仁民，大家觉得是很奇怪的事。

菜开始端上桌子了。周如水大声说：“不要等仁民了，他恐怕不会来，近来他的举动，常常是神妙莫测的。”

张小川接着用他的枯涩的声音说：“分别了几年不知道仁民现在变成了什么样子，我总觉得他的个人主义的倾向太厉害。他为什么不常常给我写信？”

“我觉得不应该这样批评仁民，他是一个很诚恳的人。”高志元心里有些不舒服，起劲地争辩说。

“哼，不见得罢，”张小川哂笑了两声摆起学者的架子说。“他很自大，一点也不虚心，我读到他的那几篇文章，好像在讥讽我。学者没有用！书本没有用！他懂得什么？他读过几本书？居然也做过了大学教授！要做个革命家起码应该在外国图书馆里面读几年书。”他说罢，把眼光从金丝眼镜上面透出来在众人的脸上轮了一转，样子显然是十分得意。

没有一个人答话，高志元的方脸马上变成了红色，他想开口，但又忍住了。

“这也不尽然。我们决不能说仁民坏，不过近来他的思想太偏激，行为又太浪漫，这是最危险不过的，”李剑虹沈吟地回答张小川。

“偏激？简直可以说是幼稚！”张小川半生气半得意地接着说。一对眼睛恨恨地望着门口，好像在那里就站着吴仁民。“他时常骂别人做改良派。办学校，办农场，这是很好的事情，他却反对。我以为要改革现社会，要实现我们的理想，还是应该从教育方面下手。要改造社会先要改革人心，此外再没有第二条路。暴力的革命只是盲目的蠢动。”

“还是吃饭罢！”一个声音突然响起来打断了张小川的话头。说话的人是方亚丹。高志元接着在旁边哼了一声，他暗地在生气。心里想怎么几年的功夫就把一个人变成了这样子。他差不多疑惑起来在他的旁边的是否他从前敬爱过的张小川。

但是不管这个，张小川还是高兴地在说话。大家入了座。张小川一边挨着李剑虹，一边挨着李佩珠和龚家两姊妹。他快活地和她们谈论他在法国留学期中的见闻。他的话语中常常夹杂了几个法国字，这又引起他的许多解释的话。

吴仁民来了。在表面上众人对他并不十分冷淡。但他不多说话，一个人只顾在席上喝酒。

“仁民，你不要把酒喝得太多了，”方亚丹突然大声说，这时候众人正忙着听张小川讲话，没有注意到吴仁民的举动。方亚丹的话语把众人的兴趣打断了。张小川便望了吴仁民一眼，然后去看方亚丹，于是又把脸掉过李佩珠那边去和她们说话。李剑虹带笑地看着众人，他不常说话，只是偶尔挟了一两筷子的菜放进口里去。

吴仁民抬起头来，把方亚丹望了一会儿，又拿起酒杯喝干了一杯放下说：“那么我先走罢。”但他并不移动。

和李佩珠们正在谈话的张小川忽然抬起头对方亚丹说：“亚丹，你到法国去吗？”

方亚丹呆呆望着他说不出一句决定的答话。他又说道：“我劝你早些去，马上就可以预备一切，我可以给你帮许多忙。”

“我不去了！”方亚丹突然用一种异样的声音回答说，便埋下头去吃菜。

众人奇怪地看了方亚丹一眼。张小川把肩头耸了一下。

吴仁民突然站起来推开椅子说：“我要回去了！”

“好，我和你一道去，”高志元站起来说。

众人说了一些话挽留他们两个，但没有用。他们决然地走了，好像生气的样子，又好像喝醉了酒似的。李剑虹和李佩珠送了他们下楼来。

街道很静寂。秋天快要来了。夜晚的空气是很凉爽的。高志元并没有喝许多酒，但是他的心却被许多异样的感觉鼓胀着。这感觉是愤怒，是失望，是幻灭，是悲哀，是渴望，他的直率的头脑分辨不出。他仿佛看见他从那故乡出来的情形。他临走的那早晨，父亲在家里生气，妻躲在房里哭，母亲带着一个兄弟送他。母亲有着那样憔悴的脸！她哭声嘱咐他千万要时常回来看她。他答应着，心里却在说：“这是我们最后的一面了。”他陪着母亲流了一些眼泪，他的头脑里还充满着母亲的印象。但是当他在越南铁路的火车厢里看见安南的小贩被人侮辱虐待的情形的时候，他就不再去想他的母亲了。他对自己说：为了万人的幸福，我就不能够顾惜几个人的痛苦了。他那时候没有一点疑惑。他觉得自己十分坚定。他搭火车搭轮船，就像是战士到战场去。但是如今他开始疑惑起来了。是的，他对自己是没有一点隐瞒的，他已经在疑惑了。他想他们这般人聚集在一起，果然是为着一个理想，一个伟大的理想工作吗？那么为什么在他们中间又有许多隔阂呢？为什么大家不能够把胸膛剖开以诚心相见呢？既然是可以生活在同一理想社会中的人，为什么又不能够互相容忍呢？他是不能够解答这些问题了。他的心慌乱起来，他觉得非常着急，好像有什么马上应该做的事，却没有力量去做，只有眼睁睁望着把机会错过。

“他们那般人都是在做梦呀！”他恨恨地自语说。

“我说大家都是利己主义者！”这许久不说话的吴仁民突然大声说了这一句，好像在回答高志元心里的疑问。

“利己主义者！这是什么一个名词！”高志元像受了针刺似的，惊叫说。“我不能够承认。我们里面并没有一个利己主义者。”

“那么你说谁都会像梅晓若那样把自己的最后一个面包分给别人吗？”吴仁民猝然这样反问道。“老实说在我们里面并没有一个利他主义者。李剑虹只是一个斯多噶派，而张小川呢，你听他今天在席上说了一些什么话。他好像忘记了从前的那些事情。他忘记了从前抛弃学生生活到印刷工厂里去学习排字的情形，因为他如今在法国贩了洋八股回来了。你们天天说出刊物，印全集，说读者，现在你该明白了书本的影响罢。我说现在还需要一个秦始皇出来把全世界的书本通统烧个干净，免得再把青年毒害。”他说到这里忽然改变了语调，含糊地念道：“下垂的黑发，细长的背影，凄哀的面貌，好像在什么地方见过来。……不，不能够，不是她！那么是谁呢？

面貌是这样熟！……不，不能够是她！她不会到这里来。”

“她，她是谁呢？”高志元惊奇地问。

“她，她不会来了，”吴仁民点着头说。这时候有一对年青的男女迎面走过来，很快地就过去了，只留下一阵脂粉香和高跟鞋的声音。是两个俄国人。接着是一阵风把路旁的梧桐树叶吹得响，好像在私语。天空中嵌着星的网，有几颗星在那里霎眼。

“她去了，不会再来了！”吴仁民迷惘似地说。

“你指的是谁呢？”

“那幻影，那美丽的幻影，”吴仁民留恋地回答。他用手去搔他的乱发。

“幻影？你醉了！”高志元温和地说。“仁民，我说你近来不应该常常喝酒。你喝了酒又会误事。你看蔡维新要的文章你今天又不会写了。你不是答应他明天有吗？你又会失信了！”

“文章？这时候我心里是这样寂寞，你还要提起文章？”吴仁民兴奋地说。“志元，告诉我，我果然是没有希望像他们批评的吗？……啊，不要提他们了。我在什么地方去找寻她呢……志元，告诉我。”

高志元还没有开口，他的手臂就忽然被吴仁民抓住了。吴仁民热狂地说：“不要向我说什么严肃的话语，什么道德的理论。我不要听。我是个无道德的人。……

啊，我所说的那个她，那是玉雯。我不是向你说过玉雯的事情吗？……是的，那是玉雯，”说到这里他就闭了口不再说话了。只是那只手还在高志元的手臂上面战抖。

高志元望着吴仁民，心里非常痛苦。他分辨不出究竟是同情这朋友，抑或是反对。但他却禁不住问自己道：“难道吴仁民就会这样被热情摧残下去吗？难道这一个人就会这样完结了吗？”他不能够回答这个问题。他只顾默默地跟着吴仁民走。他的肚皮突然发生了一阵痛楚。

“自杀，”好像有一个人在他的耳边大声叫道。他的眼前是一片黑暗。似乎一切的希望都没有了。肚痛是他的一个致命伤。这证明出来他的身体已经是残废，不能够经历那艰苦的巨大的争斗了。他呻吟似地说：“我的肚皮又痛了，天气就要变了。恐怕不久就会下雨。我们快些走罢。”

“你的肚皮痛又和天气有什么关系呢？”吴仁民大声问。

“我年青时候不知道保养身子。有一次患重病几乎死去，后来病好近两三年来就得了这个毛病，只要天气一变，我的肚皮就会痛起来。是的，只要天气一变，不管是由冷变热，由热变冷。有时候痛得很久，要买八卦丹来吃才可以暂时止痛。”

“哈哈，这真正是一个活的气象表了！”吴仁民笑起来，过后就改变了声调问：“你没有去找医生看过吗？”

“看是看过的，”高志元苦恼地说。“然而没有一点用处。医生说这是无法可以医治的。有一次痛得太厉害了，找一个医生打了几针，马上就止痛，但是不到多久又发了。现在没有别的办法，只有在痛得厉害的时候吃点八卦丹。幸好八卦丹的价钱还不贵。”

“八卦丹，那是热性的药，吃多了将来会把你活活烧死的，”吴仁民说。

“那么你又为什么要喝酒呢？你就不怕烧死吗？”高志元把眉头一皱现了苦恼的样子说。“反正我们是要死的。如果不能够毁掉罪恶，那么就率性毁掉自己也好。”

“是的，毁掉自己，那是最痛快的事，”吴仁民热情地说。“把生命作孤注一掷，在一刹那间，没有自己，也没有世界；没有爱，也没有恨，那境地，那真是值得羡慕的！”他说到这里把头抬起望天，望了半晌，好像在领略那种境地的美丽。忽然他埋下了头改变了语调说：“但是零碎的死，慢性的自杀，那太难堪了。”

“我们在什么地方去寻找机会呢？我已经找寻了这许多年了！”高志元绝望地说。“这许多年是完全白费掉的。我所感到的只是自己的身子一天比一天衰弱。现在说文字宣传连几部全集也没有刊行出来。别人说我没有做事能力，我承认。但是那些有能力的人呢，他们又不肯做。”

“不要谈这些事了，我们还是谈女人罢，”吴仁民狂热地说。

“女人，为什么要谈她，那是害人的东西！有了女人，只会妨害自己的革命工作。我说女人是私有财产制度的最热心的拥护者。”

“收拾起你的那些腐败的道德理论罢。你是一个新道学家！我诅咒一切的道学家！”吴仁民烦燥地叫起来。“你以为人只是一付机械吗？”

吴仁民还要说话，但这时候已经到了他的寓所。高志元走在前面，先去开了门。楼下没有灯光，显然是二房东还没有回来。他们在黑暗中摸索地登了楼梯，开了二楼的房门进去了。

“这种生活简直是堕落！”高志元扭燃电灯后就往自己的床上一躺，发出了这一声诅咒。

他看见吴仁民不作声，便又烦燥地说道：“这样过下去还不如自杀！”

“堕落？这算什么堕落呢？”吴仁民嘲笑地说。“自杀，那只是白白送掉你的性命。只有懦夫才会想到自杀。”

“活着又有什么用呢？你看连文字宣传的工作也做不好！”高志元生气地说。

“文字宣传，”吴仁民接连冷笑了几声说，“你的头脑真是简单，你永远只想到文字宣传，其实那只是知识阶级的精神手淫而已。老实说，即使你把书本堆满在全世界，那也只有喂蠹鱼吃!"

"你不晓得，你不懂，那些书本就是我的爱人。我对于它们的爱真是不能够用言语表示出来的。我想假若有一天由我的手印出那千千万万本的书籍，流传出去，流传在全中国，全世界，许多的人热心诵读它们，被它们感动：那是多么美丽的事啊!"高志元起劲地说。

"你把书本当作爱人就和陈真把真理当作爱人是一样地可笑，原来你也是一个斯多噶派!"吴仁民嘲骂地说。"我问你，你晚上可以抱着书本睡觉吗？你真是个蠹鱼!"他接着狂笑起来。

高志元气得说不出话，他把身子翻向里面去，望着白色墙壁生气。渐渐地他的眼睛模糊了。眼皮沉重地垂下来。

吴仁民一个人坐在桌子旁边拿了一支笔在白纸上乱画，写的尽是："革命"，"玉雯"，"瑶珠"，"李剑虹"，"李佩珠"，"张小川"这些字。同时他燃了纸烟在狂吸。最后他终于扭熄了电灯躺在床上睡了。

夜是静寂。窗户闭着。全个房间里充满了人的鼾声，和蚊虫的叫声。屋子里很是闷热。经过了长久的时候，忽然吴仁民推开了那幅盖着半边身子的薄被，大声叫起来。

“什么事？仁民，什么事？”高志元被这叫声惊醒了，便惊讶地问。

吴仁民坐在床上，用手拭着额上的汗珠，半晌不说一句话。他的心跳动得十分厉害。许多可怕的影子还在他的眼前幌。他觉得他是从另一个世界里回来了。有什么东西在咬他的头脑，他用双手捧着头开始呻吟起来。

“仁民，你怎么了？生病吗？”

吴仁民不回答，却用颤抖的声音问道：“志元，我还活着吗？”

“活着？当然！你活着，我们都活着，所有的人都活着！”高志元粗声回答他。

“那么我怎么会梦游地狱呢？”吴仁民苦恼地问自己。他接着又用战抖的声音说：“志元，我梦游过地狱了。我看见许多青年在被剖腹挖心，被枪毙杀头，被关在监牢里，被刑讯，被拷问。我看见他们也是血肉造成的。我看见他们的父母妻子在呼号，在哭泣。我向人问，他们为什么会到了这地步，人回答说他们犯了自由思想罪。‘真的，该死的青年，’我正要这样说，忽然什么都不见了，我的眼前只是一片血腥。我不觉惊叫起来，就这样醒了。我发觉我是在洋房里过着小资产阶级的生活。我是一个在安乐窝里谈革命的革命家。志元，我恐怖，我怕，我怕那梦里的我！”

“啊！原来是这么一回事。仁民，你还是安静地睡下去罢。你太兴奋了。以后不要多喝酒。你看我现在也不常喝酒了。”高志元用含糊的声音说了上面的话，于是又把身子翻向里面去睡了。

吴仁民却走下床，去开了窗户，把头伸到窗外大大地呼吸了一口气。他的心苦痛着。他的眼睛润湿了。

弄堂里没有一个人影，也没有灯光。对面是一个花园。一株株的树木在灰白光里显露出它们的茂盛的枝叶。草地上有小虫悲切地叫着，这好像是垂死的哀鸣。一座洋房耸立在花园中间，像一座坟墓，关闭着那永远不让人知道的秘密。再过去便是街市。但那里也没有一点声音，连小贩的叫卖声也没有。一切都死了。爱死了，恨也死了；享乐死了，受苦也死了；压迫死了，革命也死了。灰白色的光像一个大的网，公平地掩覆了一切。只有他还活着，在全个城市里只有他一个人活着，活着来受那热情的火焰的磨难。

“动呀！起来动呀！为什么老是躺着来浪费时间？”他向着那躺在他下面的花园，洋房，街市挥手，好像是立在一个大的群众的前面，从他的心里发出了这样的叫声。“动呀！起来动呀！只要一分钟的激烈的活动，就毁掉自己的全个生涯也是值得。爆发罢，像火山那样地爆发罢。毁灭世界，毁灭自己，毁灭这矛盾的生活！”他于是又狂乱地挥手。

一切的动作都没有用。并没有什么东西开始在动。

只有那小虫的叫声忽然停止了。寂寞的网更加张大了，似乎连他自己要被它掩覆了。

“我不能够死！”他在心里挣扎说。这时候他已经被愤怒和绝望的感情占有了。他要生，他要历尽一切苦难而生，来完成他的工作，但是现在他站在这死的房间里，死的城市里，孤另另的一个人，没有爱，没有恨。他还能够做什么呢？他不是已经向着死的路上走了吗？

这时候小虫的叫声又突然悲切地响了。这叫声似乎和从前不同。他觉得他很了解它。这里面荡漾着孤寂的生存的悲哀。这悲哀也正是他的。他现在和那小虫一样，也只能够发出这绝望的哀鸣了。

又过了一些难堪的时候，他抬起头把眼睛往四面看。他在右边的天空中发见了一片光亮。他惊讶地望着那里。但他恍然明白了。这个城市并不是死的。它确实是在活着。这时候，就在这时候，在跳舞场里，音乐队正在鸣奏，富家子弟正搂着漂亮的少女跳舞调笑；在大赌场里，在妓院里，在大旅馆里，在跑狗场里，士绅和名媛们正在一掷万金地纵欲狂欢。同时在工厂里机械狂怒般地动着，工人们疲倦地在它旁边呻吟受苦。是的，一切都没有死，爱没有，恨也没有；享乐没有，受苦也没有，甚至压迫也没有。但是革命呢？革命却死了！

“革命死了！”一个大的声音在他的耳边叫起来。他不能够忍受。他受伤似地捧着头，他极力支持着自己的身子，免得他会跌倒在地上。因为另一种回忆又来打击他了。几年前当他的玉雯离开他走到那个官僚的怀里的时候，他曾经听到一句话："革命家连一条狗也比不上。"这话是从玉雯的伴侣的口里说出来的。那个玉雯，她曾经抛弃女学生生活而跑进工厂做女工，曾经那样热烈地为革命努力，把自己贡献给一个理想，而得到多数朋友的敬爱。她曾经对他表示过真诚的爱情，而且坦白地接受了他的还答。但是在不到一年的分别以后，这样的一个美丽的女性竟然抛弃了革命，抛弃了他的爱情，而走向那个骂"革命家连狗也比不上"的官僚的怀里去了。短短的黑发，细长的背影，秀美的面貌。她好像一个纯洁的神女，一提起她，就使人发生一种温情，一种敬爱。可是她却自己来毁掉这一切而把身子陷在污泥里。她一点也不顾惜，究竟是为了什么他至今还不知道。而且即使他知道也没有用了。事实毕竟成了事实。在那官僚的淫纵的拥抱里，肉的压迫下，她的一切曾经是美丽的东西都消灭了。她的被过度的性交摧残了的面貌上已经没有一点勇敢，纯洁，热烈的痕迹。血一般的口红，石灰一般的香粉就把她的过去完全埋葬了。那官僚摆着肥脸，用肥大的手膀抱着她的纤弱的身子，那神情好像是在说："你看，我把革命战败了！"在经过了许多事变以后这个景象又突然来到吴仁民的心头。这景象似乎生了许多针刺，刺着他的心痛。难道革命就果然被战败了吗？难道革命就果然跟着那个女人死去了吗？他禁不住愤怒地这样问自己。他在和一种突然侵袭来的幻灭挣扎。

“那是不可能的，”他终于狂乱地吐出了这一句话。他把手往旁边一挥好像推倒一个敌人。“革命是不会死的！”他又愤怒地叫起来，但声音很含糊，即使人听见，也不会明白他说的是什么话。过后他低声自语道：“女人毕竟是个脆弱的东西，她们总是跟着环境走，很难站住脚跟。无怪乎高志元常常骂女人。很多的女人跑到我们的运动里面来，她们也曾多少做过一些事，有些甚至是很勇敢的。但是等到她们找到了一个丈夫以后，她们就变成了另外的一种人。有的规规矩矩去做太太或姨太太，有的拿丈夫的思想做自己的思想。她们很容易地为了一点小的利益就牺牲了自己花费许多精力所建造的美丽的东西。她们不爱惜自己的，比男子还厉害。譬如玉雯，为了一点极小的代价，——安舒的生活，就离开我们去了。”说到这里他极力按着胸膛，因为他的心开始痛楚起来了。

“毁灭罢，这世界真是个罪恶之窟。那样美丽的女性居然也被它断送了。”他又一次绝望地叫起来。他的声音在黑暗中绝望地抖动着，好像微弱的呻吟。他自己听见这声音，心里起了大的震动。他差不多哑声地自问道：“难道我也是走近了生命的涯沿，就要像陈真那样灭亡，所以连怒吼的力量也没有了吗？……”

“仁民，你在和谁说话？”他的话还没有说完，忽然高志元在床上翻动身子，一面发出上面的问话，声音有些含糊。

吴仁民不回答，却只是抚着他的痛楚的心。

“你为什么不睡？已经是很迟了，”高志元继续说，便推开了薄被在床上坐起来。“空气沈闷得很，你为什么把窗户全都关着？”

“窗户不都已经开着了吗？”吴仁民烦燥地说。

“那么为什么还是这样闷人呢？”高志元苦恼地说着就走下床去扭燃电灯，但是电灯并不发亮，总开关已经被二房东关住了。

“这世界就是一个大囚笼，哪里会有一点自由的空气！”吴仁民依旧烦燥地应道。

高志元走到窗前把那静寂的弄堂和那坟墓般的花园望了许久。忽然他把身子紧紧地压在窗台上，用力在那上面揉了几下，口里发出呻吟般的，压搾出来似的声音说：“我的腰又在痛了。这痛楚，这零碎的痛楚，总没有终结！”

吴仁民掉过头用同情的眼光看着这朋友。他的心痛更增加了。在这个环境里他们这两个人显得是何等地微弱无力。他们从前以为自己是代表着世界的正义和真理的唯一力量，是这个黑暗世界中的一线光亮，可是如今连他们自己也不能够这样相信了。他们有什么力量来震动，来破碎，来毁灭这个罪恶世界呢？他们有什么力量来照彻这个黑暗世界呢？他们已经被零碎的痛楚折磨得连怒吼的勇气也没有了。

“仁民，你把我杀死罢，这种生活我实在不能够忍受下去了，”高志元无力地靠着窗台，好像要倒下去似的。他用恳切的声音祈求说，这声音里面荡漾着一种言语表示不出来的深切的悲哀。

“要我杀你？你为什么会有这思想？”吴仁民恐怖地，苦痛地问道。

“我的半残废的身体本来就不能够经历那剧烈的斗争！而且我现在也没有力量再和那零碎的痛楚挣扎了。并不要什么打击，我的病随时都会使我躺下去。”

“志元，你今晚上为什么这样灰心？这样消极？”吴仁民忘了自己的痛苦，同情地问他的朋友，一面伸出手去握着高志元的一只微微战抖的手膀。

“你不看见今晚上小川的样子吗？我希望着别人，我相信着别人，结果只有幻灭！”高志元生气地说。“美丽的幻影都成了过去的陈迹。现实只是一片残酷的黑暗。从这里走到那黎明的将来，不知道还要经历多少长的岁月，也许那只是一个永远不能够实现的幻梦，也许人类是被命定了永远在黑暗中互相残杀，也许世界根本就不能够改造。看见小川变成了现在这样子，我对革命也没有把握了。”接着是几声长叹。

“那决不能够！”吴仁民坚决地说，这是对于高志元的前面的话的答覆。他走去在桌上摸索了一根纸烟，擦燃了一根火柴。一线火光照亮了这灰暗的房间的一部分，但很快地火光就没有了。火柴头上带着烧焦的伤痕，无力地落在地上。接着他的脚就往那上面一踏。于是谁也忘却了那火柴曾经燃烧而照亮房间的事，只有纸烟头上还燃着红的火。

“我们的命运也许还不及这火柴。火柴燃烧了自己的身子后就免不掉受人脚踏，但它究竟曾经照亮了这房间。而我们呢，我们为理想奋斗，为理想受苦，也许一直到死都没有照亮什么的机会，”高志元依旧呻吟似地说。

“难道因为这个缘故你就灰心吗？”吴仁民在狂吸了几口纸烟以后突然这样问道。他不等高志元答话便又接连冷笑几声，一面大声说：“小川，他正是剑虹的大弟子，也就是剑虹式的教育的成绩。把一个一个的青年造成了他这样子，剑虹该可以满意了。”

“这也不能说是剑虹的错，”高志元刚刚说了这一句话，却想起这天李剑虹在席上批评吴仁民的话以及他对待张小川和吴仁民的情形，不觉起了不平的感觉，便不再作声了。

“这也许不是他的错。我看中国民族根本就没有希望了，我们这个民族已经是太衰老了。像我们这样古老的民族如今世界上再没有第二个。在我们中间并没有多少活力存在着。所以我们的青年是脆弱得很。我们如果得不着新生就会灭亡，灭亡而让地位给别人。那黎明的将来是一定会到来的，我们的理想并不是一个不可实现的幻梦。可悲的是也许我们中国民族根本得不到新生。想到将来有一天世界所有的人都会得着自由的幸福，而我们却在灭亡途中挣扎而终于逃不掉那悲惨的命运，这情形真可以使人痛彻骨髓！为人类全体计，也许我们应该灭亡。但一想到我们这许多年的苦痛的经验，而且就我们中国人的地位来说，我们对这灭亡的命运是不能够甘心的。”说到这里吴仁民的声音里差不多喷出眼泪了，他便住了口。

“我不相信你的话，”高志元疑惑地说，“既然我们得不到新生，那么我们为什么又要努力奋斗呢？”

“这就是做一日和尚撞一日钟的意义了。即使奋斗的结果依旧不免于灭亡，我们也还应该奋斗。即使我们的前面就立着坟墓，但在进坟墓以前我们还应该尽我们的力量去做一番事业。奋斗的生活毕竟是最美丽的生活，虽然这里面也充满了痛苦。为了惧怕灭亡的命运，为了惧怕痛苦而去选取别的道路，去求暂时的安舒的生活，那是懦夫。我们是生来寻求痛苦的人，我们并不是一件奢侈品。我们要宝爱痛苦。痛苦就是我们的力量，痛苦就是我们的骄傲。”一种力量突然鼓舞着吴仁民，使他热烈地忘了自己地说了上面的一番话。他说它们，好像在背诵一段名家的演说稿。声音里充满了热情，并没有一点疑惑。高志元被感动了，他很奇怪，这话不像是从吴仁民的口里说出来的。

“你的这意思很不错。痛苦的确就是我们的力量，然而——”高志元感动地说。

“不，那不是我的话，”吴仁民突然变了声调，烦燥地说。“那是陈真说的，他写在他的日记里面。……他是一个说教者，我不是。我决不是一个说教者！”他说了又拼命地狂吸纸烟，他差不多把烟气喷到了高志元的脸上。“我不是一个说教者，我不能够一天一天地去敲那迟缓的钟。我要轰轰烈烈地做一番事情，即使毁灭掉世界，毁灭掉自己。——”他说到这里就住了口把半截纸烟掷在地上，狠命地用足去踏。

高志元也不再说话了。他苦恼地，惊疑地望着吴仁民，不知道这个人究竟是昏迷了，还是清醒的。他只觉得一阵烟雾在他的脸上跑，从烟雾里时时显露出一对可怕的，光闪闪的眼睛。屋子里很是闷人。他的腰一阵阵地发痛。一切都死了，只有痛苦没有死。痛苦包围着他们，包围着这个房间，包围着全世界。他不能够抵抗它们的袭击。他只是重复念着方才吴仁民说过的话：“痛苦就是我们的力量，痛苦就是我们的骄傲。”最后他脸上一亮，又用坚决的语调说："我要拿痛苦来征服一切，我要做出一点事情。我再不能够这样地生活下去，零碎地杀死自己！……"

吴仁民茫然地望着他，不说一句话。

六

星期六的早晨吴仁民忽然接到一封信，这是由一个书店转来的，那时候恰巧方亚丹在他的房里。

“看这笔迹，一定是女人写的，”方亚丹带笑说。

“女人？有什么女朋友写信给我呢？”吴仁民接过信来迟疑地说。他慢慢儿拆开了信。

吴先生——你读着这封信时，不知道你的脑中可还有我的影儿存在么？

那天你在会馆义地上遇见的蓝衣女郎便是我。她是你的一个学生，在××大学高中部的教室里她曾经听过你许多次的讲课，而且因为她的身世的凄凉曾经博得你的同情。你是她所敬爱的一位仁慈的先生，她永远不能够忘记的先生。

那天在墓地上看见你的和善的面容，我虽然不能够马上记起你的姓氏，可是那过去的旧事就开始模糊地在我的心灵中显现了。许多滴吞在肚里的眼泪使我的脆弱的心发痛。我就匆匆地回家去了。

先生，我后来终于记起你的姓氏了。先生，你看我是一个多么忘恩的女子哟！我居然连你的姓氏也忘记了。你曾经那么仁爱地帮助过我。当我决意不接受一个男子的爱情而受着环境的胁迫时，你曾经那么大量地援救过我，使我在吞了许多痛苦的眼泪以后居然得着安静的幸福，而平安地走到我所爱的男子的怀里。虽然我和他的缘分是那样浅，他只给了我短时间的陶醉就永离了这世界，把我孤另另的留着，可是你所给我的恩惠已经使我这薄命女子铭感无极了。

先生，自从那次看了他的坟墓回来，我就病倒了。在病中我时常想起你这仁慈的先生。在病中，我梦想着你会到我这里来，让我最后一次向你表示我的感激，因为我恐怕我不会活到多久了。先生，你是知道的，我很早就患着肺病，而且最近又开始吐血了。不知道为什么我看见自己的鲜血便要流泪，有时候还要伤心地哭一两个钟头。先生，像我这样的女子也许是值不得人怜惜的了。

先生，不知道你还有余暇来看我么？不知道我的这封信还有进到你的眼帘的福分么？可是我依旧虔诚地祈祷着我在死去以前还有机会和先生谈一次话，这也许不会是过分的希求罢。

先生，你看，在这么青的年纪我就想到死了，这是多么可笑，多么可怜。

先生，想说的话多着呢！可是我却没有精力继续写下去了。专此敬问

近安！

学生熊智君谨上×月××日

后面还写了她的通信地址。

“熊智君……”吴仁民折了信纸梦幻似地把这名字接连念了两遍。

“熊智君，她是谁?”方亚丹好奇地问。

吴仁民不回答，却继续自语道：“细长的背影，下垂的黑发，凄哀的面貌……肺病……鲜血……”然后用决断的声音说：“是的，我记得她，我认识她，熊智君，那个女学生。”于是就把信纸递到方亚丹的手里说：“你看罢。”

方亚丹接过信来读。同时那个穿了寝衣躺在床上嚷着肚皮痛的高志元也闭了阔嘴，带着笑容一翻身跳下来走到方亚丹的身后，就把手膀压在他的肩头上，一面注意地去看信。

“啊！”从高志元的阔嘴里哼出这一声，“原来是这

样的一个女郎！啊……仁民，那就是你所说的美丽的幻影吗？”

“我要走了，”吴仁民突然站起来，摆出庄严的面孔说。

“是不是去看那个熊智君？”高志元嘲笑地问。

“是的，”吴仁民含糊地应了一声。

“我劝你还是不要去的好，”高志元正经地说。

吴仁民正要走出门，却站住了，回过头来看他。

“你以为你这样就可以帮助她吗？就可以给她带来幸福吗？”高志元突然吵架似地这样问。

“我不知道，”吴仁民茫然地说，过后又加了一句解释的话：“我倒没有想到这上面去。”

“你不会的，”高志元坚决地说，像吐一口痰在吴仁民的脸上。“你不会帮助她，你只会给她，给你自己带来更大的苦恼。要想撇开社会个别地去救人，不会有一点用处。而且女人根本就是个脆弱的东西，她们软得像没有骨头，你要拉她们站起来，她们反会把你拖倒下去。我的话一些儿不会错。我见过有不少的人为了女人的缘故而堕落，而变节的。”

“我不会，”吴仁民半生气半有把握似地说。

“你不会，谁相信？你的性情恰像雪下的火山。你跌进爱情的火坑里面，什么事都做得出来。我劝你还是不要去看她，”高志元嘲笑说，从阔嘴里喷出了一些白沫。

“你不看见她在信上写着不会活到多久吗？她不过要求在死去以前和我谈一次，这我不能够拒绝她！”吴仁民热烈地说。

“我问你，难道每个垂死的人要求你去谈话，你都会去吗？你又不是一个牧师！”高志元张开阔嘴笑了，露出一排黄牙，他把寝衣拉开，那个生着不多几根细毛的胸膛从破烂的汗衫下面现出来，下身穿了一条脏的短裤，钮扣没有扣上，再下去就是一双毛腿。

“志元，你也应该把衣服穿得齐整一点，你看这样像什么！怪不得你讨厌女人，因为像你这样不爱清洁的男子，女人是绝对不喜欢的，”方亚丹忽然插口说，接着发出一阵大笑。

高志元连忙把寝衣拉拢来，脸上浮出了一个受窘时的微笑，微微红了脸，因为方亚丹说着了他的弱点。

“我去了，”吴仁民自语似地说，很快地就消失在楼梯下面了。

走在街上吴仁民才发觉他没有把领带系好，便解开重新系过，一面走一面系。忽然一部电车从后面驶过来了。他急急追上去，刚刚赶得上车子开。可是他已经跑得面红颈胀了。

他下了车，没有把握地走了几条马路，终于找到了熊智君的寓所。是一个比较清洁的弄堂，并没有许多幢房屋。石库门，新的建筑，三层楼，空气还新鲜。他想："在这里养病到也不错。"

他找到号头，先去敲前门，没有应声，便又转到后门去，敲了半晌，一个江北娘姨给他开了门。

听说是来看姓熊的女人，那娘姨便在下面叫了一声"熊小姐"。从楼上传来了女性的缓慢的应声，接着似乎听见门响。

"你上去，三层楼，"娘姨带笑地对他说。

在楼梯上走着，他忽然觉得自己的心战抖起来了。他开始迟疑着，仿佛有点受窘，不知道见着她应该说些什么话，有什么样的结果。他把脚步放慢些。他正在思索，无意间抬起头看见上面楼梯旁边正有一个脸庞和一堆头发俯下来。

他的脸顿时发烧了，他觉得全身的血都冲到脸上来，不知道为了什么缘故。但他也鼓起勇气走了上去。

他的脚还在最后一级的楼梯上，他和她是面对面地站着了。他记得很清楚，果然和那一天在墓地上所看见的没有两样，甚至那蓝布的旗袍也没有改变。下垂的黑发，细长的身材，凄哀的面貌，这些都好像刻印在他的头脑里。两只眼睛，水汪汪的，里面荡漾着许多愁思。美丽的脸庞笼罩了一层云雾。一张小嘴微微闭着。

就这样站立了一两分钟，两个人都不说话。吴仁民只觉得那一对柔软的，似惊似疑似哭似笑的眼光不住地在他的脸上盘旋。但是渐渐地他看出她的变化来了。那一层云雾慢慢儿在消散。

忽然她把嘴唇一动，微微一笑，这笑在他看来和哭只差了一点儿。接着从她的口里低声吐了“吴先生”三个字。

“是我，密斯熊，”他感动地应着，他还想继续说话，可是有什么东西阻塞了他的咽喉。他只是默默地跟着她进了房间。

然而从这时候起在他们中间的隔膜就开始消除了。

两个人坐得并不很近，女的坐在床沿上，男的就坐了桌子旁边的靠背椅。桌上放了几本书。吴仁民把眼睛放在书上，却对她说着普通的应酬话。他住了口，她并不接下去，不知道为了什么缘故她却背转身子低下头默然过了半晌。等到娘姨提了水壶上来，她才装出笑容站起来招呼给他倒了茶。

“她哭了，”他这样想，心里觉得有些难过，不知为的什么，似乎有点儿心痛，但这痛是微弱的，缓慢的。“她为了什么缘故要哭呢？”他并不很固执地问自己。忽然信里的那一句话闯进他的脑里来了，正好像给他一个回答。他有点胆怯地故意去看她的脸。她这时候正立在柜子旁边从一个玻璃缸里抓了花生米出来摆在一个洋磁碟子里面。

他看着她的脸，那脸上缺少一点血色，嘴唇却是红红的。“那不是血迹罢，”这样想着他的心又微痛起来。

她把碟子放在他的面前，微笑地说：“请随便吃，”然后就坐回到床沿上去。看着他慢慢儿吃花生米，她却开始叙述起过去的事情来。

她最先就叙说她因了不肯接受一个男子的爱情而受着环境的胁迫时吴仁民帮助她的一段故事。这事情，吴仁民早已经把它埋葬在很深的地方，他从来不曾记起过，但料不到现在却被她通统掘发起来了。是的，他曾经帮助过她。那时候她还是他的学生，她在高中部还没有毕业，她的家庭就给她订了婚，叫她辍学回去出嫁。她在这城市里已经有了爱人，她自然不愿意回去结婚，而且她又知道家里要她去嫁给什么样的人。反抗的结果使她不得不和家庭脱离了关系，于是她的求学问题就发生危险了。这消息后来传到吴仁民的口里，吴仁民自愿来帮助她，替她在一个书店里找了校对的位置，这样使她可以在学校里毕业。这件事情发生不久，吴仁民就离开了那学校，而且很快地就把她忘掉了。家里有一个自己满意的妻的男子是很容易忘掉别的“有了主”的女郎的，吴仁民自己就常常说着这样的话。何况以前还有工作来占据他的时间。但是如今一切都成了过去的陈迹，她成了孤另另的一个人，而他也把他的瑶珠永远失去了。

“那过去的事还提说它做什么?”他带着谦虚的笑容说，其实在心里他却暗暗说：“继续说下去罢，你的声音是那么温柔，你的故事里面带着那么多的温情，我的近来变成了粗暴的心渐渐地被你软化了。”

“那过去的事就是我的唯一的安慰，现在想起来，真是美丽，就像梦一般，”她说着梦幻似地微微一笑，这笑虽然还多少带了点凄凉的味儿，但已经够使她的面庞变得有生气了。“生了病的人是很容易记忆起往事的，更何况是一段受过人的恩惠的事情？先生，你不晓得这回忆给了我那么多的安慰，那么多的温暖……”她的声音里好像在开始淌泪。

“你的病是不要紧的。人是这么年青，你的生命还没有开花，你以后还有更多的美丽的日子。为什么就有了颓唐的思想？你正应该想些快乐的事情。病是不要紧的，……”吴仁民感动地继续着说。他的声音战抖得很厉害。他好像在背诵一首名家的诗。忽然他闭了嘴，他不能够说下去了。他的心跳得很厉害。他用无言的话句对自己说：“同情，这是同情。”事实上他是被一刹那间的爱情占有了。

她微微叹了一口气，就站起来去在桌子上取了几颗花生米，慢慢儿嚼着。

“他死了，已经一年半了，我和他的缘分是这么浅，”她第二次叹口气说。

“一年半？他死了一年半了？”他惊奇地叫起来。

“是的，”她平淡地低声回答，就埋了头，又加了一句:“如今我是被遗弃在大海里的一片浮萍了。”

“我的瑶珠，我的妻子也是在那时候死去的,”他起劲地说。

她马上抬起头来用一种好像是茫然的眼光望着他，过后就自语似地喃喃说:“什么事都有巧合，灾祸也会来得这样凑巧……”

吴仁民苦痛地想:“同样的灾祸把我们两个连结在一起了,”起初有些伤感，过后又觉得满足。

“那么先生到现在还只是一个人么?”她无意间说了这句话，却又把头埋下去。

“是的，一个人，也可以说是一个浮浪人，有些朋友又叫我做罗亭。我确实就像罗亭那样，怀着一颗热烈的心，到处漂泊，受人轻视，被人误解……”他说这话时，的确带了一点儿怨气，他说得很认真，却忘记了他并不曾有过到处漂泊的这回事。

“是啊,”她说着便又抬起头来用温柔的眼光看他。“在现社会里面有着热烈心肠的人常常会得不着人们的了解的。先生不是曾经对我说过我们应该有独往独来的勇气么?这句话我至今还记得很清楚。这是一句很美丽的话。……但是可惜我却不曾做到。”最后的一句话是带着叹息低低地说出来的，好像怕被他听见。

“我已经早忘了我说过这句话了,”他苦笑说。“话是美丽的，但是那寂寞，那心的寂寞啊!比死还要难受!

永远是误解，永远是失望！热烈的心被寂寞来消磨，没有谁会来替我分担一点苦恼，表示一点同情，没有谁会关心到我！孤独，永远是那比较死还要沈闷的孤独！密斯熊，这话我只向你说，我从没有对别人说过。但是你也不会了解我。”他愈说下去，愈热烈，同时又愈悲愤。

“先生，你为什么要说我不会了解你呢？”她认真地分辩道。“你不知道我是多么感激你，多么崇拜你。是的，也许我现在不了解你，但我很愿意了解你，我预备了解你。我希望你给我这一个机会，我已经失掉过很多很多的机会了，这一个机会我该可以不会失掉罢，先生……”一道光亮继续照耀着她的面庞，那上面被淡淡的红云煊染了。

即使不是为了前面的这些话，单是那面貌就可以使得吴仁民感动。他的面容也变了。他用战抖的声音回答她，他说话就像在背诵诗句。“密斯熊，密斯熊，”他接连唤了两声，因为他一时接不下去。“你竟然是这般大量。……我一生只听见一个人向我说这样话，这人就是你……此外从没有过一个人表示愿意了解我的。你是这么高洁！我不晓得应该怎样感激你啊！”他说着身子像发寒颤似地抖动。两只眼睛不转动地望着她的微微开着的小嘴，想从那里面得一个判决书。忽然他自己觉得一个崇高的感情控制了他，一个庄严的声音在他的耳边说：“跪下去罢，在这个像女神一般高洁的女性的面前跪下去罢，向着她去伸诉你的这许多时候以来的悲哀！”

“先生，”她略略提高声音说，“你为什么对我说这些话？我是不配的。我经历了那许多痛苦而能够活到现在，不都是拜领着你的赐与么？你现在还要说感激我。不是在讥讽我么？先生……”从她的面部的表情看来，她的心和口是一致的。

“先生？你不要唤我做先生罢，我们做朋友，不更好么？”他忘了自己似地大声说。

两人对望着，在他们中间沈默统治着，但是两颗心都在说话，两对眼光都在探索。

“先生，我不知道应该怎么称呼你才好？难道这称呼不就是最美丽的么？”她用一种非常柔和的声音说。“让我就永远这样称呼你罢。这称呼我一直到死都不会忘记的。”她略停了一下，站起来走到桌子前面拿起热水瓶给他又倒了一杯茶，自己也倒了一杯，拿回到床边，坐下去喝了两口，然后慢慢儿继续说下去：“先生，你也许愿意知道近一年半来我的生活罢。你或者会奇怪他死了以后我是怎样生活下去的呢？其实是很简单的，我这许久都是在书店里做校对的工作。后来我的身体病弱到不能再做那种只有使人心焦头痛的事情，我便搬到这里来。这是一个女朋友的家。她对我很好，她一定不放我离开这里。……”

“她现在还住在这里吗？”他突然问。

“不，她到乡下去了，不久就会回来的。她和我是同乡，而且是小学时代的同学。因了她的劝解，我母亲又时常接济我，和我通信息，但是父亲的心还是不肯宽恕。”

“也许他的心总有一天会变软的，”他这样地安慰说。

“不知道我能不能够等到那一天？”她感伤地说，看样子像是对自己说的。

“我近来很少到外面去，常常整天坐在家里，有时候拿着一两本书，有时候动也怕动一动。不知道怎样身子非常容易感到疲倦。这里又很寂寞。那个女朋友回去以后就没有一个人来和我谈话。在这个城市里，我没有几个朋友，我整天坐在家里不想做什么事情，又没有人来看我，”她很伤感地说。

“我以后一定要常常来看你的，”他努力说着，并不像施一个恩惠，却像要报答一个恩惠。

“真的？”她的声音里带了一点欢笑。“恐怕先生不会有这么多的时间罢，我知道你是很忙的。我知道你有你的伟大的事业。而且为了这一个渺小的我，也值不得花费先生的宝贵时间。”

“我有很多的时间，因为我也是很寂寞的，”他差不多要流泪地说。

两个人又谈了一些话，吴仁民终于告辞走了。熊智君把他送下楼来，伴着他走到后门口。当他走到转角掉过头来看时，那个被蓝布旗袍裹着的苗条的身躯还静静地立在那里。

走在路上看见蓝的天空，金黄的阳光，步道上的梧桐叶，吴仁民觉得心里很畅快，在他的耳边还接连响着那温柔地唤着“先生”的声音。他忘记了这许久没有抽烟。

“我终于找到这样的一个女性了。她崇拜我！她愿意了解我！她要求我给她这一个机会！”

“她是可爱的。美丽，那不消说。她说句话就说得那么温柔，句句都打在我的心坎儿上。态度很温柔，但又有热情，并没有忸怩的气概。”

“病？那不要紧。爱情可以医治女人的百病。”

“她是值得怜悯的，值得同情的，而且还值得爱的。”

“是的，我应该同情她，不，我还应该爱她。我有爱她的义务。我要用爱情去温暖她的凄楚破碎的心。我要安慰她，鼓励她，使她会走到积极快乐的路上去。”

“为什么不应该恋爱呢？生活太单调了，空气太沈闷了，环境太黑暗了。我不可以暂时在女性的温暖的怀里睡一些时候，休养这疲倦的身体来预备新的斗争么？”

他和自己商量了许久，终于得着下面的结论：

“自己觉得可以做就去做罢。恋爱完全是两个人中间的事情，李剑虹高志元他们没有权利来干涉我。”

在电车上他遇见几对年青的男女，他们谈笑得很亲密，女的紧紧偎着男的。全车子里的眼光都落在这几对人的脸上和身上。他把他们看了许久，忽然妒嫉地，生气地在心里自语起来：“为什么他们都可以，我一个人就不可以呢?”

回到家里，他看见高志元还躺在床上，露了毛胸和毛腿，在和方亚丹谈话。

“怎样了？成功吗?”高志元看见他进来就张开阔嘴嘲笑地问，接着又哼起日本的情歌来。

“斯多噶派哼情歌，”吴仁民不直接回答，却自语地说了上面的话。

高志元没有话说，把嘴大张开，打了一个呵欠，嘴张得那么大，就像预备吞食一个人。他生气地伸手把那竖起的头发拼命搔，忽然大声笑起来。笑够了时他才慢慢说：“我有了好对了：革命志士讲恋爱。”

“好，”方亚丹也笑了。

吴仁民涨红了脸，唾骂说：“你懂得什么?照你的意思，人类应该灭绝才对。你为什么不把所有的人都弄成太监，免得他们看见了女子就要冲动?……我要出去了，我不再和你这新道学家说话。”他说完真的就往外面走。

“仁民，回来，我有话和你说，”方亚丹在后面叫起来。“真的，有正经话和你说。”

吴仁民默默地走回来。

“我和志元已经决定到E. 地去了！”方亚丹庄严地说。

“你不到法国去了吗？”吴仁民惊讶地问。

“我早就表示过不去做留学生了。让张小川一个人去摆他的留学生的架子罢，”方亚丹说着忽然做了一个歪脸。

“我决心去做实际运动的工作。和剑虹长久在一起也没有什么意思。他自然是个好人，但却干不出事情来。和他相处不久时还觉得他有些魔力，可是一旦相处久了，才知道他也不过是一个纸糊的灯笼！”方亚丹用清朗的声音说，他突然站起来，身子似乎变得很长。

“你在和我开玩笑，我知道你素来很崇拜他！”吴仁民还不肯相信。

“不错，我崇拜过他，便是现在我对他还有好感。”方亚丹起劲地分辩说。“然而现在我看出他的弱点来了。他的成见很深，却不认识人，而且又缺乏自信力。凡是读书过多的人都会有这毛病。书本这东西害人真不浅。”

“而且剑虹拼命庇护小川，这也很不公道，不管小川现在变得怎样，剑虹依旧相信他不错。这简直是纵人为恶了。”高志元突然从床上跳了下来，把他的木板鞋在楼板上弄出大的响声。

“小川要结婚了，听说还要行旧式的婚礼呢！”方亚丹生气地说。

“结婚？和谁？”吴仁民茫然地问。

“和龚德婉。女的人还不错，剑虹很称赞她，你也见过。婚礼大概在龚德婉的家乡里举行，外面的朋友是不会去参加的，当然看不见旧式的婚礼。他们回到这里来时，随便印一张说明同居的卡片分发出去，在朋友们看来，岂不是废除了婚礼吗？革命的花样到底要多些。”方亚丹愈说愈生气，竟然把衣袖卷上去，像预备和人打架。

“龚德婉，我当然看见过她。……但是关于婚礼的事情你怎么会知道呢？”

“那是佩珠告诉我的。剑虹劝阻过小川一次，没有用，他就不劝阻了，据说他将来预备装着不知道的样子。我不高兴剑虹就因为这个缘故。你知道我对于旧礼教是憎恨得非常厉害，旧的一切我都憎恨。整个中国被它摧残到了这个地步，我们青年还要对它让步屈服。”他说着猛烈把拳头在桌子上面用力一击。桌子大声叫起来。两三本书落在地上，一个茶杯被打翻了。

“所以我就要到 E. 地去了。现在只等 E. 地的朋友寄路费来。我要离开小川，离开剑虹，离开他们那一群书呆子。”

“我去，志元去，还有两个朋友要去。将来你也跟着来罢。我们欢迎你。”

方亚丹的话语说得非常有力。连高志元也摆正了他的方脸注意地听他说话。

“好，”吴仁民含糊地应了一声，心里有说不出的惆怅。他这时候并不曾想着到 E. 地去。

七

“你又要到熊智君那里去吗?”高志元看见吴仁民在结领带，便带笑地问。他坐在沙发上，身上穿了寝衣，把一根手杖抵着肚皮，手杖的另一端抵在桌子脚上。

“是的。”吴仁民随便应了一声，但马上就大声笑了。“你的肚皮又痛吗?”

“有一点痛，不过不很厉害，”高志元自己忍着笑说。“这几天拿手杖来抵肚皮，差不多成了习惯。”

“你这样下去是不行的，你看你一天究竟干些什么事情?”吴仁民带笑地责备他。“像这样子到E. 地去是不行的。”

“这何消你说? 到了E. 地当然会被工作逼得要死! 但是现在我还可以继续过这种浪漫的生活，且让我尽量地过几天罢，以后就要把它永远埋葬了。”高志元正经地说，好像还有点留恋的样子。

“你真是一个充满着矛盾的人!”吴仁民带笑地骂起

来，“你天天嚷着要做一点事情，说这种生活是堕落，可是一旦有事情给你做，要你结束这种生活的时候，你就有点留恋了。你这种人，真正叫人拿你没有办法，说你坏，又有点不忍心；说你好，未免太恭维你。”他说了就往外面走，好像怕听高志元的反驳。

“仁民，”吴仁民已经在下楼了，却被高志元的这一声呼唤叫了回转来，他以为高志元有什么事情要和他商量。

“什么事？”他站住正经地问。

高志元起初笑，后来却半吞半吐地说：“当心点，不要被熊智君迷着了。”

“你的头脑这样旧！一个男人找一个女人就只是为了讲恋爱吗？”吴仁民生气地说着就在一把椅子上坐下来。“我和她做朋友，不过是想帮助她，感化她。”心里却比口里要求着更多，他自己也知道。

“这样崇高的目的！”高志元讥笑似地称赞起来。他不再说别的话，只是把身子不住地在椅子上擦。

吴仁民听了这句话觉得心里很不舒服。他明白高志元故意在挖苦他，却又说不出口，只是含糊地解嘲似地说一句：“你不信，将来看着罢。”

“看什么呢？看你和熊智君行结婚礼吗？”高志元还没有把话说完就听见楼梯上的高跟鞋的声音，马上住了口。

“她来了?”吴仁民吃惊地站起来低声说。他的眼光马上落在高志元的身上。“看！你这样子！你连小裤子也不扣好。”他又惊又气地说。

高志元把头埋下去看自己，忽然叫了一声“啊呀!”便急急跑到自己的床前，跳上去一把拉过被盖蒙了全个身子，却忍不住在被窝里发出一声笑。

一个细长身躯的女郎在门口出现了，她一眼就瞥见了吴仁民，脸上露了温柔的笑容，她把头微微一点，低低唤了一声“吴先生。”她的凄哀的面庞因了这笑容而发光了。

吴仁民堆了一脸的笑容把她接进来，让她坐在沙发上面，从热水瓶里倒出了一杯开水，就把茶杯放在沙发旁边的凳子上。那女郎侧起身子谢过了。

于是他们便开始了谈话。在谈话的当儿，吴仁民时时斜着眼睛偷偷去看高志元的床，那上面臃肿地堆了一铺被褥，微微在摇动，他忽然发见熊智君的眼光也偶然地落在那上面了，不觉受窘似地红了脸解释说：“这是那个朋友的床铺。他出去了。他这人懒得很，从来不叠被褥。他不久就到E. 地去。”

这些话被那个躲在被窝里的高志元听得很清楚，不觉失声笑起来。吴仁民倒有些机警，连忙用一阵咳嗽掩饰过去了。

熊智君似乎并不觉得，她把眼光移在吴仁民的脸上，现了关心的样子看他咳嗽，过后又把眼光移到墙壁上，看着一张女人的照片，就是吴仁民的亡妻瑶珠的照片。于是她埋下头来低声问了些关于那女人的话。在注意地听着吴仁民的答话之际，她不时畏怯地偷偷把眼珠往上面一眨，去看他的脸色。

“这两天还常常咳嗽吗？今天脸色似乎好多了，”吴仁民把瑶珠的事情结束了以后，就把话题转到她的身上，这样关心问她。

“谢谢你，我好久就不常咳嗽了，这几天人渐渐好起来，心里也觉得特别高兴，”她微笑地说，略略停了停，又补上一句：“昨天晚上还和那个女友一起到卡尔登去看了电影呢！”

“那女朋友已经回来了？”

“是的，她前天才回来的。她回来我也算多一个伴，寂寞的时候，也可以找她谈些闲话。不然，一个人闷在家里真难受。近来倒承先生常常来看我，我真不知道怎样感激先生才好呢！……”

吴仁民心里觉得畅快，正要答话。忽然瞥见了高志元床上的被褥动了一下，一只脚尖显露到外面来。他着急地看她一眼，她正埋着头慢慢地在说话，两手玩弄着衣角。

他觉得略略放心了，但他又想起在这房间里谈话很有些不方便，他们的话通统会被高志元听了去，以后高志元又有了嘲笑他的材料。因此他便想出一个方法。

“密斯熊，你没有别的事情罢，我们到公园里去走走不好吗?”他这样向她提议，很担心她会拒绝。

“好，我也是这样想，只是不会耽搁先生的事情罢，”她说着就站起来，微微一笑。

“我没有什么事情。我这一晌来都是无目的地天天在外面乱跑。”他极力要使她相信这话，所以说话时候很起劲，同时也站起来。让她往前面走，自己在后面跟着。他走出门口，故意把门碰上碰得很响，给床上的高志元听。

高志元听见这声音就马上推开被褥，从床上跳下来，赤脚走到沙发上面一屁股坐下，张开大嘴，放出几声哂笑，接着咕哝地自语道：“到底还是爱情胜利！什么革命运动！大家还不如去从事求爱运动，那倒要爽快得多！……我还是到公园里看他们去。”

最后一句话使得高志元的方脸上现了得意的笑容，他便慌忙地跑到床前，从枕头下面取出压在那里的折叠好了的西装裤。他很匆忙地把上下身衣服穿好，就锁了房门跑出去了。

他们的寓所离公园很近，不过一会儿的光景他就到了那里。他买了一张门票进去，因为他的那张长期入场券是在吴仁民的身上。

走进了公园，高志元很高兴，他以为一定可以找着他们，而且可以设法去打插他们。但是找寻的结果却很使他失望。他圆睁着两只眼睛走遍了公园：他走过草地，他走过凉亭，他走过池边，他走过花坛，他走过斜坡，他走过竹径，但他始终没有看见他们的影儿。

自然公园里有不少的青年男女，但那些都是爱侣，他们偎坐着甜蜜地说着情话。高志元一看见他们，马上就皱起眉头，把脸掉开。他以为在那般人里面一定没有吴仁民和熊智君。

“但是他们究竟到了什么地方去呢？是他们临时改变了心思，或者还是吴仁民在捣鬼，他故意拿到公园去的话来骗我？”这样想着他觉得一团高兴都飞在九霄云外去了。他在一株梧桐树下面找着一把空椅子，一个人在那里坐了好一会儿，又觉得无聊，便率性把吴仁民的事情抛开，走出公园去找方亚丹去了。

吴仁民和熊智君确实到公园来过，而且高志元进来的时候他们还是在公园里面，但是不久他们就出去了。因为吴仁民约熊智君去看电影，她并没有推辞。

他们到了电影院，时间还早，里面只有寥寥的十多个人。他们在厅子的一个角里找了两个座位。

他和她坐得这样近，两个手膀差不多要靠着了，这还是第一次。他觉得有些不安，但又很高兴。她的脸微微红着，上面露了笑容，这笑容在她说话的时候也没有消去。她并不避开他的注视，也不觉得有什么不安。她也许比他更热情一点，虽然在表面上没有表示出来，但显然地她很愿意和他接近。

在公园里他们并没有说许多话，他们的注意力被那自然的美景摄引去了。他们问答的都是普通的问话，但里面也含了特别的关心，这是彼此在沈默中也能够觉得的。

如今在这阴暗的，并不十分宽敞的影戏院里，沉闷的空气开始来窒息他们，一种隐隐的闷热把他们的热情燃烧起来，使他们觉得需要着向对方进攻，但又怕这进攻会受着阻力。起初他们并不多说话。说一句话似乎是很困难。因为一句话里面必须含着几句话的意思，要使听话的人从这句话里体会出未说的话来，但同时又怕听的人会误解了意思。这时候更能够表达出他们的心情的就是那偶尔相遇着的彼此的眼光。虽然是眼光一注视，脸一红，嘴一笑，彼此就把头埋下来，但是那心的颤动，那使全身的血都沸腾起来的心的颤动，却使得彼此都会忘了自己。这是刺激，这是陶醉，这是热，虽然不见得就是吴仁民所理想的那一种，然而这许多日来过惯了孤寂冷静的生活的他终于被它压倒了。

“智君?”他突然用了战抖的声音低低在她的耳边唤道。

她掉过脸看他，他却觉得咽喉被阻塞了，挣红了脸，半晌才说出下面的话，声音依旧战抖得厉害，就像在读诗："智君，我说……这生活我实在忍受不下去了。……那样地寂寞！那样地冷静！那样地孤独！人家都说我浪漫，轻浮，卤莽，空想。……我的周围永远是黑暗。没有一个关心我，爱我的人。……但是如今你来了。你从黑暗里出现了。……智君，你把那黑暗通统给我扫去了。你把那过去的阴影都给我驱散了。你给我带来一线的光明，一线的希望。在你的美丽的眼睛里我看出了我的这许多年的痛苦的酬报。……我爱你，智君，我爱你……但是你会爱我么？你会爱我这个被许多人遗弃的浮浪人么？……我愿意把我的鲜红的心献给你，只要你说出一声允诺，我愿意立刻为你牺牲一切。……如今在你的面前，在你的身边，我是把整个的仇视我的世界都忘掉了。我有了新的勇气了。智君……我请求你允许我，暂时在你的温暖的怀抱中睡一些时候，休养我的疲倦的身体，来预备新的斗争罢。……我请求你不要离开我，不要把那一线的光明和希望给我带走，让我落进黑暗里去……我不能够再过那种生活了……"

在这长篇的叙说的当儿，他把他的眼睛不住地在她的眼睛和嘴唇上移动。他没有一刻放开了它们。他看得那样注意，好像他的眼睛里要发出火焰。他的话并没有完结，但是热情使他说不下去了。他便拿起她的左手，用两只手来抚摩她，这显然表示他恐怕会把她失掉。

"先生"她开始用温柔的声音来回答他。她的眼睛里已经嵌着明亮的泪珠了。她把脸放得离他更近，她就在他的耳边低低地说："我不是已经对你说过我生存到现在全是拜领你的赐与么？我不是对你说过希望你给我一个机会么？先生，我的心难道你还不知道？倘使我果然可以帮助你，倘使你果然需要着我，我是一点也不吝惜的。先生，啊，只是，先生，像我这样的女子还值得你爱么？……我果然还有获得你的伟大的爱情的幸福么？……先生，我的感激，我对于你的感激，我不知道用怎样的话来表明我——"

电灯突然熄灭了。她的话语也就跟着中断，她不能够继续说下去了。音乐响起来，银幕上现了人影。她的心被一阵剧烈的感情捣碎了，她不能够再支持，就把头斜倾下去紧紧靠在他的胸膛上，把身子倚着他的肩膀。她的头，她的身子抖得很厉害，这颤动就代替她的嘴说出来那许多许多不能够用言语表示的意思。他完全了解了。

银幕上开始了一场生活的争斗。在黑暗的社会里一个女郎生长了，她有着一颗纯白的心，不知道这社会上的种种事象，平静地在贫穷里生活下去，直到开花的年纪。于是引诱来了，她的纯白的心是不能够抵抗的，她受了欺骗，还以为是在做恋爱的梦。然而梦醒了，理想破灭了。她看见金钱怎样残了爱情。这就是造成她的堕落的原因。这以后的几年中的放浪生活把她的青春差不多要消磨净尽了，她预备着躺下去走进那永恒的门。就在这千钧一发的时候，一个天真的青年来了。他的纯洁的伟大的爱情终于扫尽了她的过去的一切阴影，使她得到了新生。一个团圆就把这场生活的争斗结束了。

电灯重放着光明，厅子里起了说话的声音，观众并不多，是“休息十分钟”的时候。

这是美国资产阶级的导演家的典型的爱情作品，从那种千篇一律的流行的大众小说里取材的。靠着那导演家的手腕这片子还算是紧张动人，使得观众提心吊胆地注视着银幕上的动作，最后的团圆才给了他们一个轻快，但这轻快就把以前的全部效力通统扫除了。

但是这对于吴仁民和熊智君却另有一种效力。他们两个在这影片里各人看出了一种意义。这是和他们的生活有关联的。尤其是那最后的团圆显明地给了他们一个希望，这希望无疑地就把他们结合在一起了。

电灯重燃的时候熊智君把头从吴仁民的胸膛上抬起来，望着他一笑。

“怎么，你哭了！”他微笑地说，就取出手巾替她揩眼泪。

她并不拒绝，就让他替她揩拭，只是微笑地解释说：“我太爱哭了。我看电影看到悲惨的情节，常常会伤心地哭的。”

“但是这结局不是很好的吗？”他再鼓舞似地说了

一句。

“是的，这结局倒给了我不少的勇气。先生，你看，我果真会像影片里的主人公那样得到新生么？你果真愿意拯救我么？”她温和地问，她敬爱地看着他，她的眼睛，她的脸都充满了爱情和感激，但是感激比爱情更多。

“智君，究竟是你拯救我还是我拯救你？你为什么还要疑惑？你不知道我未遇着你的时候是什么样的心情，如今又是什么样的心情。我现在得到你，我又有勇气和力量来和这世界奋斗了。是我应该感激你。”他说话时，他的眼睛，他的脸也充满了爱情和感激，他的爱情是比感激多。

她翻看手里的说明书，知道下半场是演笑剧。她是不喜欢看笑剧的，便说：“我们还是走罢，用不着看笑剧了。笑剧没有什么意思。”

“好，我们找个地方吃饭去，”他说着就站起来，他自己这时候并没有什么主见，只是预备着顺从她的意思。

熊智君没有说什么，点一点头，算是默认了。

走出影戏院两个人的态度就有些不同了。他们在人行道上走着，她把手挽着他的手臂，身子就挨着他的身子，完全像一对爱侣。这变化不知道在什么时候发生的，但他们都觉得很自然。

他们走进了一家广东酒楼，地方很清静，又清洁。两个人坐在一个角里，并没有闹声来打插他们。他们点了几样菜，就慢慢喝着茶谈话。谈的自然是爱情的话语。

不久菜端上了桌子，伙计来问要不要喝酒。吴仁民本来说要，但是熊智君在旁边劝阻他，他就听从了她的话。

在吃饭的时候两人是很亲密的，在路上在电车里两人也是很亲密的。他把她送回家，时候还早。

她让他进了她的房间，让他坐下，又给他倒了茶。

“你觉得今天的生活满意吗?”他端了茶杯放在嘴边，一面望着她的微笑的脸，忽然问了上面的话。

“是，我这几年来从没有像今天这样快乐!”她满意地回答说，并不坐下，就站在他的旁边，柔情地看着他。

这样的长久的注视就给了他一种暗示。他放下茶杯就匆忙地站起来。他被一股激情占有了。他走到她的面前。她不退后。他一把就抱着她，在她的脸上嘴上狂热地落着急雨似的吻。

她闭了眼睛默默地受着他的接吻，像在受一次祝福。她的身子因了爱情和喜悦而微微颤动。等他停止了接吻低声唤她时，她才睁开眼睛，梦幻似地问道：“先生，我们是在梦里么?”

“你明明在我的怀抱里，为什么要疑心在做梦?”他亲切地说着，把她抱得更紧。

“那么我的梦想就变为真实了，”她柔和地低声说。“我从没有想到真实会是如此美丽的，……比梦还美丽。我早就梦见你来了。”

“你的梦想？你早就梦见我来？”

“是的，先生，我很早就梦见你来了。在梦里人是很自由的，很大胆的。我们会梦见许多在白日里不敢想到的事情。先生，你以为我为着一个男子缠黑纱而梦见另一个男子，这事情是不应该的吗？其实我和他结合以后我就梦见过你了。我为他缠了一年半的黑纱。直到那天在墓地上遇见你，我回家才把黑纱去掉。……先生，你以为这事情是不应该的吗？”

“智君，为什么还提那些过去的事情？对于你我决不会有一句苛刻的话语，决不会有一点责备的思想。纯洁的爱情是要超过一切的。现在能够像你这样爱人的女子是不多的，大部分的女人都是脆弱的东西。你才是我所追求的女性。”

“先生，我很早就梦见你来了。我知道你会来的。你会来援救我的，我等了你这许久。果然你来了。你来的时候我的过去的一切苦痛都给你驱散了。这真正像一场梦，一场美丽的梦。……爱情是很美丽的，比梦还更美丽。……我只希望它长久继续下去，不要像梦那样地短，因为美丽的梦是最短的。”

“爱情是不死的，它比什么都会长久。智君，你不要担心。我们的爱情是不会死的。你叫我等得好苦！你为什么不早来？定要在我经历了那许多痛苦以后。……但是如今你终于来了，便是受了那许多痛苦，现在也由你来给我报偿了。……啊，我觉得我是世界上最幸福的人……”

“我也是……”

但是两个人都淌了眼泪出来。

“啊，我忘了一件事情。张太太，就是我的那个朋友，她愿意见你，要我给她介绍。我下去看看她回来没有？”她忽然挣开他的怀抱，这样说罢，就要往楼下走。

“喂，你的眼睛还是湿的。你这样下去，不会怕她看见嘲笑你吗？过来，让我给你把眼泪揩干净，”他低声唤她说。

她果然就走过去，让他用手帕去替她揩眼泪，他一面揩，一面问道：“你的那朋友是什么样的人，她并不认识我，为什么要见我。我不愿意见那种新式的官太太。”

“她自然不会认识你，所以才要我来介绍。她听见我说起你，我把你的姓名和我知道关于你的事情都告诉了她。她说虽然不认识你，却很想和你见面。一定要我介绍。她的丈夫就在C. 地做官。她是我的小学时代的同学，又是我的同乡，人是很好的，和普通的官太太完全不同。我想你也会喜欢见她。”她说到这里不等他发表意见就急急下楼去了。

一会儿她走回来，神情带点失望。她惋惜地说：“真是不凑巧得很。她刚刚在今天下午搭火车到 C. 地去了，是临时决定要走的。”

“这倒不要紧。我会时常到这里来。等她回来时再和她见面好了。”他这样安慰她，便不再去想那件事情，他甚至忘掉了那个女人的姓。

从这天以后吴仁民和熊智君就成了一对爱侣。他每天都去看她，或者就在她的家里，或者在公园里，电影院内，总之，他们两个要在一处度过一部分的光阴。不然他就不能够安静地生活下去。高志元的嘲笑和劝阻都没有用。他的心眼已经被爱情关闭住了。

但是爱情的路并不是完全平坦的，所以在拥抱接吻以外，有时候他们要流眼泪，或者要费些时间说着解释的话语，譬如有一次他忽然正经地问道：“智君，你真的愿意把一切都交付给我？你就没有一点顾虑吗？”

“顾虑，我还有什么顾虑呢？”她微笑地摇摇头说。“我的过去，你是知道的，我是怎样想就怎样做的人。前一次不是为了爱情和家庭脱离关系吗？还亏得你援救我……”

“你不要再提那件事了。”他急忙插口说。“如今再说那件事，别人听见也许会加一番恶意的解释，反而把我的好心变成歹意了。并且那时候我是毫不费力的。我实在不配受你的感激。”

“先生，”她依旧温和地说。但这温和里面是含有热情的。“为什么我不应该再提那件事？一个女人的感激是到死方休的。我们用不着怕别人的恶意的解释，只要相信得过自己的心是纯洁的。……先生，我担心的，是恐怕我值不得接受你的爱情，我对你不会有什么帮助，尤其是我这病弱的身体只会累人。我把我的一切交付给你，对于你恐怕也不会有什么益处。你将来会反悔的。”

“我反悔？智君，你说这样的话？”他失望地说。“我们的爱情才开始，你就说出这样的话来，是你不相信我了！智君，你真的不相信我的爱情，你真的不肯把你的一切交付给我，不肯接受我的一切来安慰我，拯救我吗？”

“我的意思决不是这样，”她说着给他一个温和的笑。“我早已经说过我是没有一点吝惜的。我相信你，先生，我相信你的一切。只是我恐怕我配不上你，我值不得你的爱情。”

“你又有些傻了！”他也微笑。“在爱情里只有相信不相信的问题，并没有什么配不配。像你这样聪明而且大方的人难道就解不透这一层。”

“先生，你说得不错。这意思我是明白的。可是我也知道我的病弱的身体不会对你有什么帮助，反而会牵累着你。所以我愿意让你知道我是随时都可以走的，假若我的存在对于你的工作有什么妨害，我随时都可以离开你，虽然我那爱你的心永远不变。……”

她还要说下去，却被他的接吻把她的嘴唇蒙住了。如今有了不少的爱情的经验，他也已经知道用接吻来阻止她说出他不愿听的话。他的确爱她，的确愿意为她牺牲一切。她的存在就是对于他的鼓舞和帮助，为什么他还须得向她要求别的帮助呢？为什么他还须得要求她离开呢？那简直是不可能的事情。

她太过虑了。也许是过去的苦痛生活给了她太多的阴影，使她有时候也会做阴郁思想的俘虏，所以常常要说那样的话。但是他坚决地相信他的热烈的爱情终于可以改变她，把一切的阴影给她扫除掉，使她做一个勇敢的女人。是的，他觉得对于这很有把握，她有时候已经是勇敢而又有热情了。

吴仁民在这些时候的确是沈溺在爱情的海里了。在表面上他似乎有了大的改变。他从熊智君那里得到了勇气，又要用这勇气来救她。他把拯救一个女人的责任放在自己的肩头上，觉得这要比为人类谋幸福的工作还要踏实得多。

他不到工会去了。他也不到李剑虹那里去了。对于方亚丹和高志元们经营的事情也不过问了。他虽然依旧和高志元住在一个房间里，可是两人谈话的机会现在少得多了。他是常常不在家的。高志元近来也常常出去，好像故意避开他一般。两个人在一处时高志元总要说几句挖苦他的话。这些话很使他苦恼，他不能够回答高志元，因为很知道是什么动机鼓舞着高志元说这些话，他也觉得高志元是有理由的，但是爱情已经把他的心眼蒙闭了。起初高志元常常正言劝他，因为劝告没有用，高志元就用挖苦的话来激他，但结果只使吴仁民在日记里写了几段话来骂高志元。

譬如在某一天的日记里他写着：

> 今天早晨正预备出去看她，这是我昨天和她约定的，却被志元把我拦住了。他涨红脸生气地问："你今天不到熊智君那里去不可以吗？"
>
> 他的态度和问话使我有些不高兴。他这几天向我故意数说着她的坏处，又挖苦我去从事求爱运动，这我都忍受了。我并没有和他多辩驳。但是他还觉得不够，他还要来干涉我。我不能够再忍耐了。我回答他："我为什么不到那里去呢？我只有在她那里才得到安慰，才得到快乐。在全个世界里只有她一个人才爱我，才关心我。你们都只知道你们的主

义，你们都只知道你们自己，你们里面没有一个人肯关心到我身上。你们是不会了解我的。”我气冲冲说了上面的话就不再去理他，一个人迳自去了。我走到后门口时却听见他在楼上叫我。我并不答应他。

走在路上时我还觉得我生气是有理由的。朋友们的确不了解我。小川他们不消说了，他们也许算不得是我的朋友，我的朋友本来就是很少的。近来只有志元亚丹两个和我好。但是他们依旧只为主义打算，只为他们自己打算。至于我的苦痛，我的幸福，他们是丝毫不关心的。

朋友究竟是朋友啊！在我需要着帮助的时候，他们反而把我推出门去，不给我一点东西。她预备把我所需要的给与我，而他们又不许我去接受。他们永远拿着那些腐败的道德理论来麻烦我。

他们有什么理由不要我去享受爱情的幸福呢？他们有什么理由不许我在女性的温暖的爱抚中养好我的创伤呢？我有这爱情的权利，他们没法干涉我。

为了她我甘牺牲一切。在她的眼睛里我看出了我的法律。——现在是实行这句话的时候了。……

他第二天无意间就把这日记拿给高志元看。他因了爱情的幸福而微笑着，他并没有一点恶意，他也不想到高志元读了日记会有什么样的感想。

“你太没有道理!”高志元放下了日记果然生气起来，就责备他说。“昨天我们的团体开会，就在那会里决定我和亚丹到E. 地去的事情。我们特地请你去参加。难道这是我们的错处?”

这一番话马上使得吴仁民明白了许多事情，前一天里想不到的那许多事情。他知道高志元说的是真话。他们的那个团体是近来成立的，除了高志元和方亚丹外还有不少的青年同志，这般人里面有几个他也见过一面，都是很热心的青年，他们虽然不常和他往来，对于他却有一些尊敬，而且对于他平日的主张也有些同情。因为这缘故，他们才请他去参加昨天的集会。但是他却误解了高志元的意思，反而生气地拒绝了。

“你为什么不早说明呢?我本来是可以去参加的，”他后悔地失声叫起来。

“不早说明?谁叫你那样慌张!我想和你说第二句话也来不及，我叫你，你又不答应!”高志元张开阔嘴发出哂笑声说。

吴仁民脸红得把头埋下去，很有些失悔昨天错过了那团体的集会，他自己知道为了爱情就冷淡主义的工作这是不应该的，而且他还害怕平日对他有些好感的人也会因此误解他，他又觉得昨天他对高志元的态度也有些不对，更不应该在日记上面写下那些责骂的话。

“现在还是爱情胜利的时代！想不到像你这样的人也会被爱情迷得这样深！”高志元又继续嘲笑说。“你试试回想你这一晌来的行为。你真的要为着爱情牺牲一切吗？你真的被那个女人迷到了这种程度吗？”

吴仁民不回答，依旧埋了头，半晌才低声问：“你们就到E. 地去吗？”

“到E. 地去，那已经决定了，路费也寄到了。行期大概在一个月后，因为还有些事情。”他说到这里马上就住了口，脸色变得严重起来。

“什么事情？”吴仁民追逼地问。

“这事情和你没有关系，我何必告诉你？反正你没有时间来管这些事情。你说得很对，我们永远是替主义打算的。至于你，你还是到你的女性的温暖的怀抱里去罢，”高志元依旧这样地挖苦他。

吴仁民把脸仰起看高志元。他的脸上现了苦痛的挣扎的表情。他咬着嘴唇皮，几次要说话，终于没有说出口，最后才吐出了从痛苦中迸出来的“志元”两个字。

高志元圆睁着眼睛，惊奇地望着他，好像有些不懂。但是过了好一会儿，他的脸部的表情又软化了。他笑了笑，拍着吴仁民的左肩说：“好，你还是到熊智君那里去罢。我们并没有权利阻止你去享受爱情的幸福。我也没有权利干涉你的私人生活。但是希望你牢记着我们对于你的期望，希望你不要毫无怜悯地把你自己毁灭掉。

我知道你离开了女人是不能够生活的，”接着他又一笑。这不再是哂笑，这是善意的笑。

吴仁民脸上的阴云也渐次散去了。他忽然抓住高志元的手感动地说：“我决不会改变信仰的。我可以向你保证我决不会因了她改变信仰，也许我会使她变成我们的同志。”

高志元并不相信这句话，但他也只是微微一笑，他并不再去反驳吴仁民了。

八

代李佩珠向吴仁民借书，这事情差不多成了周如水的固定的工作。从他的手里陈真的许多书籍都转到李佩珠的手里了。

李佩珠热心地读着每一本书，把它们当作她智慧的养料的泉源。在这种热心的诵读中她的精神渐渐成长了。所以有一天她就感觉到单是这样读书已经不能够满足她的渴望了。她还想在读书以外做一点别的事情，一点有益的活动的事情来放散她的精力。

这情形是周如水所不了解的。他看见她忙着读书也有些高兴，也有些不高兴。高兴的是他有了机会给李佩珠“服务”（吴仁民第一个用了这两个字），不高兴的是李佩珠多读书就少有时间和他谈话，她的时间，她的心都给那些书本占去了。譬如每一次他从吴仁民那里抱了几本书去看她，她接到书，一定会给他一个温和的微笑，再说一声“谢谢!”就把书抱进她自己的房间里去了。

如果他跟她进去，她也会让他在旁边站着，只顾自己去翻读书本，只偶尔和他问答几句。

周如水自己好像也知道她愈是多读那一类书籍，她离他便愈远了。他也很愿意她改变心肠不再读那些书，但是他却没有方法阻止她，而且他是个老实人，又不会捣鬼。所以每次李佩珠托他去借书，他总是毫不迟疑地热心去办。他是那样忠实，殷勤，就像茶房伺候着他的女主人。

在外面许多人说着他和她的事情，这虽然没有什么根据，但是关于爱情的流言素来是散布得很广的，即使当局的人并不知道。

这消息已经传到了吴仁民的耳里，所以周如水来借书时吴仁民就常常嘲笑他。他自己当然知道这是什么一回事，而且他心里很高兴别人替他宣传，把她的名字和他的多多混在一起提说，这样有一天流言终于会传到她的耳里，接着就会打动她的心。

但是流言已经散布了好一些时候了，而李佩珠的心理依旧是难揣测的。要说她对他没有意思罢，但是她并不曾对谁更好些。她已经屡次暗中表示有点不高兴张小川，而且如今张小川已经另外有了爱人。她比较多和方亚丹谈话，但是方亚丹不见得就对她有意思，而且方亚丹近来又不常去看她。那个年青的学生显然是在做着秘密的工作，他和李剑虹也不大往来了。此外她虽然还接近许多男子，她的父亲的许多朋友，但那些人里面好像并没有一个预备去和他竞争。他似乎处在有利的地位。

然而要说她对他有意思罢，但是她除了常常对他微笑，感谢他为她做的种种事情以外，她就不曾有过更亲密的表示，而且没有显露过特别的关心，也没有说过暗示着爱情的话。

他自己很知道他所要求的决不只是这样。这种关系长久继续下去，对于他并没有好处。那个火焰在他的心里燃烧起来，把他的心烧得很痛。他的热情，他的对于她的爱情使得他不能够再沈默地忍耐下去了。尤其因了过去的失败的经验，又想起了吴仁民和高志元对他说的“不要叫李佩珠做个张若兰第二”的话，他觉得这一次他应该鼓舞起勇气大大地努力一番。

但是他应该怎样努力呢？理想常常是和现实不一致的。他看着她的垂了两根辫子的富有爱娇的长长脸被一道他所不能够看透的光辉笼罩着，那时候他纵然在肚皮里装满了许多预备好的话，他也没有勇气向她明白地说出来。有时候他大胆地说了两三句暗示爱情的话，她却现出不懂得的样子听过去了。也许她真的不懂得那更深的意思，因为她还不曾有过爱情的经验，而且她的注意力已经集中到别的东西上面去了。

周如水虽然常常在李佩珠的身边，而他的烦闷终于是逐日地增加了。所以有一天他便去找吴仁民，打算把这情形老实地告诉那人，要那人给他贡献一点意见，或者给他想出一个更好的办法。

那时候吴仁民正伏在书桌上写字。他写得很专心，甚至不留心到周如水进来。

周如水走到书桌前发见了一件奇怪的事情：吴仁民正在写两张纸条贴在两方手帕上面。

手帕是小姐们用的。字是下面的两行，每张纸条上面写着一行：

拿这来揩干你的过去的眼泪。

为我们的纯洁的爱情而哭。

"你把这送给什么人?"周如水惊讶地叫起来。他几乎不相信他的眼睛。

"一个女人，"他抬起头看他一眼，略略有些张惶，但马上也就平静了。依旧埋下头去折叠了手帕，用一条粉红色丝带把它们束起来。

"一个女人？我知道当然是一个女人。那是谁呢？你什么时候得到了爱人？是怎样的一个女人？……怪不得我那天听见志元在嘲笑你。我还以为他是在和你开玩笑?"周如水愉快地带笑追问。他这人对于别人的恋爱事情很关心而且感到兴味。他就像抱了一个大的志愿，希望普天下的有情人都会成眷属。

吴仁民并不回答，只是淡淡地一笑，过后就把日记簿拿出递给他说：

“你拿去看。”

“你的日记，这么厚！我恐怕没有功夫来看，你告诉我应该看那几天的，”周如水把日记簿接到手里翻了翻就这样说。

吴仁民果然走过来给他指点了应该读的一些篇页，而且还站在他的旁边看着他读下去，脸上现出笑容，显然是很得意。

“不错！这样好的女子！这样痛快的！……她说过这些话？……‘机会，’……‘我一点也不吝惜’……‘我那给我一个爱你的心永远不变。’……好，说得这样美丽！……相貌漂亮吗？……‘一个女人的感激是到死方休的。’……你的福气真正好！……‘只要相信得过自己的心是纯洁的。’……说得不错！……熊智君，这个名字倒不错！你一定带我去看她……你们几时请客呢？”周如水读着日记，一面就这样自语似地念道，笑容从没有离开过他的脸。他完全忘掉了自己的事情，但马上就被吴仁民的话语提醒起来了。

“请客，时候没有到。你还是等着张小川请客罢，那不会久等的，”吴仁民微笑地说。“但是你自己的事情呢？你几时又请客呢？”

“我请客？”周如水像被一根针刺着，马上把眉毛微微一绉。“我还不知道有没有这福气。佩珠是一点表示也没有。真是令人着急。所以我今天特地来和你商量，征求你的意见。”

吴仁民略略迟疑，就庄重地回答说：“你的问题的确有些困难。老实说，你想打佩珠的主意，不见得就有把握。不过这事情也很难说。你为什么不早努力呢？再像前次那样迟疑，是不行的。在爱情的战场里需要的是勇气。如果你拼着热情去爱她，你也许可以把她得到。否则你又会让她做个张若兰第二。不是我故意说得刻薄，和李剑虹往来的那些女子里面没有一个是值得人爱的，她们都是忸怩的女性。”说到这里他的脸上又现出得意的微笑。

“但是你说我现在应该怎么办呢？别的空话且不要去说它，总之你是有偏见的，”周如水红着脸焦急地说。“我现在应该采取什么样的战略？我觉得我快要回复到从前的那样子了。佩珠真厉害，和若兰又不同。她把人逗得心慌，弄得发狂，自己却装着不知道的样子。”

“我不是对你说过要用着勇气和热情吗？你现在缺乏的就是这个。此外还有什么更好的战略呢？”吴仁民加重语气说。

“热情和勇气，这一层我也知道，”周如水沈吟地说。“但是我恐怕她受不住这个。她的年纪虽然并不很轻，但她好像一点也不懂得爱情。在这一点她好像是很天真的，或者很古板的。我不曾听见她说过一句关于爱情的话。她只是热心地读着陈真留下的那许多书，或者和她的父亲谈些各国女革命家的故事。她是渐渐地走向革命运动一方面去了。我怕我这爱情的自白会引起她的反感，因了想速成，反而会把全部希望送掉。真的，我有些害怕，你应该了解我，我怕这一次再得着一个失败的结果。我自己很明白，倘使这一次再像前次那样失败，我就不会再有恢复勇气的希望了。所以这一次我不得不小心地进行。”他的话语里充满着信赖，他简直把他的一切思想毫无隐瞒地对吴仁民说了，这态度就像一个信教的妇人对着神父诉她的苦痛的胸怀。因此吴仁民也被感动了。

“不见得你这种想法就是对的。我不相信李佩珠会做一个女革命家。她年纪也不算小，而且又是一个典型的小资产阶级的女性，她岂有不懂爱情的道理。你当心点，不要受女人的骗。女人的心眼本来是很多的。你还是拼着热情去尝试一次罢。不成功，就率性拉倒也没有什么不好。不然，像你现在这样在夹板里面过生活只会使你疯狂的。还有剑虹，他不会帮你的忙吗？你可以去找他。”

“找剑虹是没有用的，”周如水苦恼地回答说。“看见他那道貌俨然的样子，我怎么能够说出我这被爱情所苦恼着的胸怀呢？而且他常常表示他对于爱情的事情主张由女儿自己去解决。根据他平日的言论，他好像很不赞成人家讲恋爱。只有这一次对于小川的事情却是个例外，所以别人攻击他庇护小川，但是他和小川的关系是不同的。我比不得小川。”

“那么归根结底，据你看来又应该怎样办呢？”吴仁民突然问，他开始觉得周如水还是和从前没有两样，在他身边的周如水依旧是那个爱过张若兰的周如水。

“怎样办？”周如水烦燥地念道，接着他大声说：“我如果知道怎样办，也就不会来问你了。”

吴仁民不开口，只是默默地望着他，丝毫不动声色。

“你应该比我更有经验，看你成功得这样快，就可以知道你一定有一种应付女人的妙法，你可以把它告诉我吗？这对于我总有些帮助。我现在差不多没有一点主意了。”周如水的苦恼的脸上露出一种祈求的表情。这表明他这时候的确是没有主意。

吴仁民生气地冷笑了两声，又从西装裤里摸出表来看，然后加重语气地对他说：“我告诉你两个方法：一个是去把你所感到的一切告诉她，问她究竟爱不爱你，可不可以爱你，愿不愿意爱你，如果她坚定地回答一个不字，那么就率性死了心，免得长久痴心妄想，倒也痛快。另一个方法就是去跳黄浦江，把生命一刹那间毁灭掉，免得这样不痛不痒地活着，给人类丢脸！”

“你真正岂有此理！”周如水气青了面孔骂起来。

吴仁民一面穿西装上衣，一面带笑说：“我的话都是真的。你不相信也只得由你去。我现在要出去了。”他整理好衣服就拿起那手帕用白纸包了。

这样他们两个人一道儿走了出去。

九

大约在四五天以后，早晨，吴仁民接到熊智君的一封信，是她叫娘姨送来的：

先生——昨天下午我被张太太约出去看一个朋友，在她的家里耽搁了一天。我本来早早就说着要回去，却被她们苦苦地留住了。我知道你会到我家里去，可是出门时匆忙间竟然忘了留下一句话或一个字条，你看我是一个这样疏忽的女人！先生，我使你昨天白白跑了两次。娘姨告诉说你来过两次，我想你也许不只来过两次。你不是告诉过我有一次我不在家，虽然落着大雨，你也曾在我的门前彷徨了好几次么？先生，亲爱的，我不知道应该怎样向你谢罪哟。

张太太回来了。你还记得她么？她就是那个不认识你，却又想和你见面的女人。她待我真好。她给我预备好了一切，要我邀请你今天来吃晚饭。先生，我邀请你，你不会拒绝的。自然一切都是她替我预备好的，她很慷慨地替我预备好了一切，但是那邀请的心却还是我的心呢。先生，请你早些来罢，我们等着你，是的，我们，我和张太太，我们都等着你。

你的智君即日

他拿了这封信读了两遍，一个笑把他的脸盖满了。他只觉得身子很轻快，像要飞上天去。

高志元在旁边看见这情形，不觉微微叹一口气，他不再劝阻吴仁民，他知道劝阻也没有用，当一个人被爱情把眼睛蒙着的时候，在他的身上劝阻也许会生出相反的影响。吴仁民的日记不就是一个证据吗？所以他如今只是略略表示一点不满的意思，把吴仁民稍微提醒罢了。

吴仁民看见高志元的脸上的表情，也知道这个朋友心里在想些什么。他觉得有些惭愧，就好像做了什么对不起朋友的事情。而且就在这时候他也没有完全忘掉那主义，那事业，和那些朋友。爱情的陶醉似乎只是一时的，他也有些知道。但是当他想到另一个面孔和另一对眼睛的时候，他又变成激情的俘虏了，他没有一点自制的能力。即使那爱情的陶醉是一个深渊，他也只得让他自己陷进那里面去。他似乎甘愿为了一刹那的心的温暖就把全个自己毁灭掉。所以不管他怎样用了抱歉的眼光看高志元，并且和这朋友又谈了一些关于事业上的话语，而他终于在下午一点钟左右就到熊智君那里去了。

在她的房间里他看见了另一个女人。他知道这就是张太太。这女人正埋着头在翻看一本书。他等着熊智君给他介绍。他对这女人怀着过分的好感。

他想她是熊智君的好朋友，又承她如此关心地照应着熊智君，所以他也应该对她表示尊敬和感激。

熊智君果然把他介绍给张太太了。那女人站起给他带笑地点一个头，他也点头，然后把脸抬起来。

两个脸对照着，两双眼睛对视着。他的第一个思想是：这女人是他曾经熟识的，至少也是常常会见过的。然后从她的有暗示性的微笑的脸上他就知道她是什么人。

“这位就是张太太吗？”他掉过头惊讶地问着熊智君。

“是的，你为什么要问这句话？难道这里还有第二个张太太？”熊智君不觉扑嗤笑起来。

“这位太太我以前好像在什么地方见过。”他迟疑了半晌才说出这句话。同时他不闪眼地看张太太好像就怕被她逃脱似的。

“你见过她？不会有的事！张太太听见你的姓名还说不认识你呢。”熊智君抿嘴一笑，这样反驳说。

张太太却站在那里不说话，她让他看她，她的美丽的脸上罩着神秘的笑。这笑容隐藏了许多事情。她是知道一切的，而且还是她安排好这一切的。

他望着她的血红的嘴唇，他忽然想起了另一个曾经作过许多激烈的演说，说过许多爱情的话语的嘴唇。他如今在这红唇上面见了那一个嘴唇的影儿。那嘴唇也是红的，却是健康的红，并不是胭脂的颜色。是的，一定是她，不会是别人。

“是的，我的记忆不会错。我和张太太一定在什么地方会见过的。”他坚持地说，是用这话来故意试探她，他想：你总应该说一句话呀！

熊智君带笑地责备他说：“你这人真固执，我不和你争辩了。好，就算你和张太太在什么地方见过，你们真可以说是一见如故了。”她的样子很高兴。

“吴先生也许有理，我们好像是在什么地方见过的，而且恐怕不只一次，只可惜我现在记不起了。我们以后会慢慢记起来的。”又一个微笑掩饰了她的心。她说话态度很谦和，就像一位贵妇人接待一个尊贵的生客。但是吴仁民很能够看出来她的装假和不安。

在脂粉的掩盖下她的面容的确有些改变了，但是那声音还是和从前差不多，不过略略变涩了一点，不及从前那么清脆。然而他一听见就知道是她的声音，玉雯的声音。在他面前的这女人，并不是别一个，就是他的玉雯。玉雯嫁的那官僚就姓张。

“请问张太太原先是不是姓郑?”他接着又问。

“是的，她的确姓郑，可是这不算稀奇，你很容易打听出来，也许我自己就告诉过你，”熊智君这样笑着分辩，她一点不起疑心。

他知道他并没有错。他还想继续再问，但他忽然瞥见了张太太的阻止的眼光，同时她还暗地摇头暗示道：“不要再说下去罢，为了她的缘故，不要再说下去罢。”

他果然马上把未说的话咽住了，心里禁不住怦怦地跳动。他想她一定是那个女人，但她为什么要安排这会面，要邀请他到她家里吃饭呢?她难道还不能够忘记那往事吗?接着又暗暗对自己说：“她不是你的玉雯。你的玉雯已经死了。不要再想起那些从前的事情，就把她当作另一个妇人，一个陌生的妇人。他和你没有一点关系。你现在爱的是智君，是那个不要任何条件甘愿把一切交付给你的女人。你对于玉雯只有憎厌，你决不会再想她。你甚至不要去看她一眼。”

他拿这些话暂时安静了他的心，便坐在这两个女人的对面，平静地，但多少有点拘束地和她们谈话。因为他有时候又不能不去看张太太。并在张太太的面前他不便对熊智君说某一些话；而当着熊智君的面，他又不好对张太太说某一些话。他从没有想到情形会是这样困难的。

但是张太太的话却多了。她找出许多话来和他说，使得熊智君差不多只有插嘴的时间。她很聪明，她说了许多暗示的话，这些话只有他一个人可以了解，对于熊智君又没有一点危险。

他起先装出不懂得的样子听她说话，后来也回答几句暗示的话给她，这些话的意思都可以用两个字来包括，就是：拒绝。他表示他现在已经有了智君，他和别的女人的关系都从此完全断绝了。

于是张太太的脸色就渐渐变成阴郁起来。这阴郁在表面上是很淡的。她不愿意让熊智君看见，就借故下楼去了，留下他们两个在房间里。

张太太一走，吴仁民就感觉到被解放了似的自由，就开始和熊智君亲密地谈起来。他不放心地问了她许多关于张太太平日怎样待遇她的话。

熊智君觉得他是太过虑了。自然张太太待她是再好没有的。张太太照料她有时候就像是她的亲姐妹。在那女人和她的中间已经生出了一种真挚的深刻的友情。她是同情着那女人的，她便开始对他叙说那女人的生活情形。

张太太的生活并不是怎样愉快的。丈夫在C地做官，而且在那里过着放荡的生活，她守在家里就像一个活寡妇。固然金钱是不会缺乏的，物质上的享受也比普通一个女人所能够有的高出若干倍，但是那种寂寞，一个青年女人怎么受得住呢？她平日常常对着熊智君伸诉她的苦痛的胸怀。丈夫并不是真挚地爱着她的。他爱的也许是她的从前的肉体，因为在最初结婚的一年中她确实曾经牺牲了自己的健康而满足了他的强烈的性欲。那时候他把她当作宝贝般地珍爱，可是一到她的健康被毁坏以后，他的爱情就冷淡了。他在别的女人身上去发泄性欲，却把她当作看家的人，只偶尔回家来敷衍一次。她这一次到 C 地去也就是为了他和别的女人的恋爱事件，但却没有得着结果或胜利。她如今的命运就只有两种。不是继续在孤寂里生活下去，作一个看家妇；就是毅然地脱离她的丈夫，去过自己选择的生活。但是据熊智君的推测，她似乎并没有预备去走后一条路的意思。

熊智君详细地叙述着张太太的痛苦，她很感动，在这叙述里面她放了深厚的同情，但她却不知道她的话给吴仁民生了什么样的一个影响。吴仁民渐渐把思想从她的身边移到张太太那里去了。

“她原来受着这样的苦！我简直不知道！我还以为她和她的丈夫感情很好，她至少还过着幸福的爱情生活！”他眼望着熊智君，却不觉说了上面的话。这时候一个愁烦的面孔就在他的眼前出现了。她的渴望，她的苦痛，她的眼泪。他想他应该同情她，应该安慰她。

熊智君把两只水汪汪的眼睛定在他的微微带着苦恼的脸上，她有些儿惊讶他为什么这样关心那个女人，而且听那口气他一定是和她认识的，于是她又想起了先前那两个人的问答。这时候疑惑开始偷偷爬进了她的心。她第一次想到在那两个人中间一定发生过一件使人难忘记的事情。这思想就使她的心里微微起了隐痛，但马上又淡下去了。

他看见这个，他就暗地对自己说："告诉她呀！告诉她你和玉雯的关系呀！你应该使她知道，因为她已经在疑惑了。"于是他便鼓起勇气对她说："智君我应该告诉你——"说到这里他突然闭了嘴。

她的眼光探求似地望着他的脸。这眼光好像在说："说下去呀！为什么又不说了？"

"是一件小事，我想还是不告诉你好，是和你没有关系的，"他勉强用这话来掩饰，就不说下去了。

她也并不追问，只微微叹一口气就把眼光收回去了。过后她又把脸掉过来，脸上又现出了笑容。

不到一会儿功夫张太太上楼来了。他不由得要去看她的脸。她的脸确实是愁苦的，那香粉，那口红并不曾把愁苦给她掩盖了。他想：这就是玉雯的脸呀！在从前她也曾做过许多人崇拜的纯洁的女神的。

这样一想他就像失了宝物似地觉得心痛起来。

十

吴仁民从熊智君那里回来。他喝了几杯酒，被风一吹，给他吹起了许多愁思。高志元不在家里；这人近来是常常在外面睡觉的，他跟着方亚丹一起在做秘密工作。吴仁民也知道，但是爱情征服了他，使他没有时间去关心那些工作。高志元不告诉他时，他就不去细问。这时候房间里又只有他一个人，寂寞压迫着他。他想起过去的许多事情，他的全身的血都燃烧起来。他实在不能够睡觉。

他坐在书桌前面预备花费一个整夜的工夫写一封信寄给张太太。

玉雯——我不知道到现在我还应该不应该这样称呼你，但是今天的会面把你给我从坟墓中掘起来了。我一看见你就不自主地低声唤着这一个名字。这一个名字也许你自己已经忘掉了，然而我是不能够忘掉它，而且我永远不会忘记那一个被多数朋友当作纯洁女神般敬爱的女郎。

但是那个女郎如今已经不存在了，是的，从前的玉雯，曾经被我热爱过的玉雯已经死了。那个勇敢热烈纯洁的女革命家已经死了。美丽的幻影是一去不会再来的了。我今天看见的只是一个失了宠爱的官太太，一个被过度的性交摧残了的，被脂粉掩盖了的憔悴的面庞。

他写到这里就停住了，把最后的一句话重复念了几次，脸上现出了复仇的微笑。过后他又自语道："这句话会使她伤心的，这句话未免太残忍了，"于是就用笔把它涂掉了，然后继续写下去：

我千万想不到智君所说的好友就是你，我万想不到我们会在今天的情形下面相见，我万想不到在那么决绝地分别以后我们还有像今天这样的谈话的机会。但是如今我恍然明白了：这完全是你一个人安排好的，我和智君都被蒙在鼓里，我们事前甚至没有一点疑惑。

你为什么还要和我见面呢？你为什么要对我说那许多暗示的话语呢？你明明知道我和智君的关系，智君是很相信你的，很同情你，她一定把我和她的爱情毫不隐瞒地完全告诉了你。但是你却欺骗了她，你对她说你不认识我。我并没有改换名字像你那样，你怎会不认识我呢？你骗了她，也骗了我。你把我骗来和你在一起吃饭了，而且在一个极短的时刻我差不多要对你表同情了。但是如今我却明白了。

你今天对我说的那许多暗示的话，我是完全懂得的；你的境遇，我现在也很明白了。自然你的处境值得人同情，但是我们中间的一切关系已经是很早就完结的了。以后我们两个只能做生疏的朋友，这倒是最聪明的办法。我希望你不要想得更多一点，我希望你顾念到智君的幸福。我爱她，我预备用我的全量的爱来爱她。她是很纯洁的，又很脆弱的，她再禁不住大的打击。我有些害怕，我怕你会把这打击给她。但是你要记着：你果真这样做，我就不会宽恕你。

他放下笔燃了一根烟来抽，这些日子里他简直不大抽烟了，因为他知道熊智君不喜欢闻着烟臭。他多少带点苦痛地自语道："我对着她似乎不该说这种话罢，她说不定会哭的，这些话未免说得有些过火。"但他并不去把它们涂掉，不过改换了语气又加了下面的话：

请原谅我罢，我不该写这些话来伤害你，我知道你并没有那种心思，我知道你也爱她，你也关心她的幸福。她对我说过你待她多么好，你又曾十分热心地帮助过她。我也知道你爱她是出于真心。但是难道你看不出来我和你的往来只会毁坏她的幸福么？你难道就没有一点害怕么？我怕，我怕我自己会……

他写了这一句，就把笔放下在屋里烦燥地走了一会儿，把手里的那根纸烟抽完了，把烟头掷到痰盂里去，仰起头对着天花板大大地喷出最后的一口烟气，然后回到书桌前，把最后的那句话涂掉了。

他还想继续写下去，但是思索了许久，只写了几个短句，过后又通统涂掉了。他又燃了一根纸烟，但抽不到几口就把它抛进痰盂里。他放下笔把两手支着下颔，望着墙壁上挂的他的亡妻瑶珠的照片出神。

忽然楼下后门上起了捶门的声音，没有别的响动，没有人去开门。他走下楼去把门开了。

进来的是高志元，手里拿着一个似乎是沉重的纸包。

“你还没有睡？”高志元粗声问道，脸上现出严重的表情。

“你这时候才回来！什么地方去了来？”吴仁民烦燥的问，但马上他就明白了，转身走上楼去。

高志元把手里的纸包放在书桌的一角，就不再说话，默默地往床上一躺，接连嘘了几口气。吴仁民又继续去写他的信：

玉雯，让我再这样地唤你一次罢，这应该是最后的一次了。我请求你，不要插身在我和智君的中间，我请求你，不要再提起从前的事情。我们以后只能够做生疏的朋友，而且我们不应该使智君知道一点我们从前的关系，因为我们的关系已经是完结了。我希望你不要再想挽住我，我是已经被你抛弃了的人。我祝福你，我愿你在别的男性的爱情里得到幸福，我不会再给你什么了。

被你爱过又抛弃过的男子。×月×日

他写好信，自己低声念了一遍。一个烦愁的面庞现在他的眼前，这是一个摩登女子的面孔，打扮得很美丽，但却掩饰不住那憔悴的神情。那皮肤已经在衰老了。尤其是那一对眼睛，里面充满着哀诉的话语。

“在我们分别了这许久以后，在我受够了这许多痛苦来求你帮助的时候，这就是你的回答吗？你就没有一句温和的话语对我说吗？”似乎从那张红红的小嘴里吐出了这样的话来。

他惊觉地把手在眼睛前挥了几挥，那面庞马上就消去了。他把信纸折好，放进信封里，刚要写信封上面的地址，他又看见那面庞渐渐地在眼前显现了，就好像许多点滴凝聚起来一般。那憔悴的神情，那哀诉的眼睛，那悲哀的苦笑。他烦燥地放下笔来，绝望地搔着他的乱发，半昏迷地说："去吧，不要再缠扰我了，"于是就埋下头，把半个身子压在桌子上面。

"仁民，"高志元在床上望着他这样唤道。他并不回答。

"这又是一幕爱情的悲喜剧了，"高志元带了怜悯的微笑说。"你只看，不到多少天的功夫你就变成了这样子。怪不得别人要说你浪漫。"

吴仁民觉得一阵心痛，他把头抬起来，无意间把一只手压在高志元的纸包上面，他觉得触到了一个硬的东西。

"这是什么？"他茫然地问。

"你把纸包打开看罢。"

他就把纸包拿过来，先把麻绳解开了，就打开纸包，剥去一层纸，又有一层报纸，还有一层布，过后是两个小纸包。他现在知道纸包里面是什么东西了。他的心情就突然紧张起来。

他把最后的一层纸剥去，手里就剩了一支发光的白郎宁小手枪，里面并没有子弹。他把那两只眼睛定在那上面。他玩弄着枪，忽然他把枪口对准着自己的胸膛，苦笑了。

“这是从什么地方来的？怎么没有子弹？”他低声问。

“子弹被亚丹拿去了。我不愿意拿回家里来，怕你会用它自杀，”高志元起初这样开玩笑，但过后他又正经地用庄重的声音说：“是从蔡维新那里拿来的。工会会所一两天内就会被搜查，我们有个朋友在巡捕房里做包探，他知道了这消息便给我们漏出风声来。”

“蔡维新会有危险吗？”吴仁民不等高志元说完，就关心地慌忙问他道。

“大概不会有什么危险罢，工会会所里现在弄得很干净，巡捕房来搜查，也不会发见什么反动的证据。还怕他做什么！蔡维新这几天为这事情弄得很忙。我恐怕他会生病。”

高志元的这些话都清晰地进了吴仁民的脑里。他的眼前马上现了一个中年人的面孔，略有一点瘦，唇边垂着八字胡，脸色很黄，眼睛一只大，一只小。这人前一些时候还和他很要好。这人是一个忠实的革命家，信仰有些单纯，但很忠实，很坚决，整天忙碌地工作着，没有疑惑，没有抱怨。但是现在这人还为信仰忙碌着，并且正被压迫包围着；而他呢，他却把他的精力完全浪费在爱情上面了。是的，在这时候别人正在从事艰苦的斗争，而他却在两个女人的包围里演他的爱情的悲喜剧。

他已经离开了运动而成为一个普通的人了。他现在和张小川还有什么差别呢？

这些思想像针一般地刺得他的心痛。一种从来没有感到过的义务观念突然来责备他。他不能够替自己辩护。他也不能够再听高志元的话，这些话就像一条长的皮鞭在他的脑子上面不断地抽着。他默默站起来，把手枪放在桌上，自己就走到窗前，望着窗外的静寂的弄堂。

“仁民，睡了罢，你的爱情的悲喜剧演得怎样了？为什么今天是这样激动？”高志元说着就站起来，到书桌前把手枪包扎好了，就预备睡觉。

“你先睡罢。我现在还不想睡。我的头有些发痛。”他的话还没有说完，电灯就突然熄了，是楼下二房东把总开关关闭了。

高志元低声骂了一句，就往床上躺下去，不再说话了。接着隔壁的钟声清脆地响起来，报告已经到了两点钟。

“睡了罢，”高志元含糊地催促说。

吴仁民含糊地答应了一声，他并不移动身子。他的眼睛望着对面的花园。那里是很静寂的，而且很黑暗的。一些小虫哀叫着那孤寂的生存的悲哀，但声音是多么微弱。马路上偶尔有一两部汽车驶过，那哀叫般的喇叭声打破了静寂的空气，似乎就在他的面前飞过，飞到远处去了，还带着很长的余音在后面。忽然隔壁人家的一个小孩哭了起来，这哭声吵闹地在他的耳边撞击着。

他差不多没有一点感觉地在窗前站立了这许久。渐渐地一切又复归于平静了。黑暗压迫着他，他的眼前只是一片黑暗。他把两只手紧紧抓着窗台，好像一松手就会落进黑暗的深渊里面去。三个女人的面孔接连地在黑暗里出现了。最后的一个凄哀的面貌微笑地看着他，比别的更长久地摆在他的面前，但这个也终于消灭了。于是接着出现了一连串的受苦的面孔，这些面孔差不多是相同的，一个接连着一个，成了一长串，直通到那黑暗里去。然后这些面孔就变成了一根鞭子，一根那么长的鞭子，看起来很结实，很有力。

他显然吃惊了。他这许多天来似乎完全没有觉察到这个黑暗世界里还潜伏着一个如此巨大的力量。眼前的这一根鞭子并不会是假象，那许多受苦的面孔是实在的，他亲眼看见过的。痛苦使得那无数的人把自己炼成一根鞭子。有一天这根鞭子就会把整个黑暗社会打得粉碎。这根鞭子一定有这力量，只要有人把它拿在手里舞动起来。

这个世界并不是不可救药的。舞动这鞭子，向着这个躺卧在黑暗里的都市打下去，打着那许多淫乐的面孔，不，还打着那整个旧的组织，看着它破碎。这是多么痛快的事。他应该起来担负这个责任，他应该为了这个责任牺牲掉个人的一切享受，就像陈真所做过的那样。但是陈真并不曾把鞭子拿到手里，并不曾打着谁的面孔，这个年青人就死了。如今他应该来继续陈真的工作。他应该把鞭子坚实地握在手里，亲眼看见打在那许多人的脸上。

“打呀!”一个声音在他的心里鼓动说。他因了激动就全身战抖起来。他觉得一刻都不能够忍耐了。他用力压着窗台，好像它就是代表着旧的组织。

“爱情是那般有闲阶级玩的把戏，我是没有福分来享受的,”他忽然想到了这句话就对自己说了。这样似乎就摔掉了一肩的重压。

“打呀,”那熟识的声音还在鼓动他。于是他仿佛看见许多面孔都被打了，甚至那两个女性的美丽的面孔。

“不！不行!”他痛苦地蒙住眼睛。“不，我不要打她们。我不要毁掉爱情!”他半昏迷地自语着。

后来他摸索到书桌前面，去抓高志元带回来的手枪，但他没有找到。他在书桌上面摸索了许久，随后就颓然地倒在靠背椅上，让黑暗来把他包围着。他只是默默的。

十 一

张太太接到了吴仁民的信，第二天大清早就一个人来看他，她打扮得很漂亮。

高志元前一晚上并没有回家。房间里只有吴仁民一个。当人在恋爱的时候，他多半起得很早。所以张太太一进屋，就看见他在打领结，他正预备到她家去，但不是去找她，是去看熊智君。

然而张太太来，他就不得不留下了。他不得不和她同坐在房间里，谈一些闲话。

这两人的单独的会面是他很盼望的，但是他如今却也觉得有些受窘。他常常避开她的眼光，心里在想应该说些什么话来解决他们的问题。

“你接到了我的信吗？”他鼓起勇气用一种沉重的声音问她，好像把那问题看得十分严重。

“是的，我已经读过好几遍了，”她略略停顿一下，就把头埋下去，过后又用一种使人怜惜的声音继续说：

“可是我有些不明白你的意思。我不明白你为什么这样恨我。你的话好像尽是些利箭，都向着我的毫无防护的脆弱的心射来。我这几年来的结婚生活也算是苦够了。没有一个人怜惜我。我满心以为你会来帮助我，谁想你却把我当作一个仇敌。”她的话里似乎带了眼泪。

“你完全不明白我的意思，”他慌张地替自己辩护说，他有些失望，又有些着急。声音也开始颤抖起来。“我没有一点伤害你的心思。对于你的不幸的结婚生活，我也是很明白的，而且我很同情你。不过现在情形和从前不同了。你应该替智君打算。我不能够抛弃她。而且你也有了你自己选择的人，”他顿了一下，偷眼看她。她坐在沙发上面，把头偏过去看窗外好像不注意听他说话的样子。他只看见她的肩头在微微耸动。他想她哭了。于是他的心就软了。他温和地说：“请你原谅我的苦衷，你也应该明白永远分离对于我们倒是一个最好的办法。张太太……”他想唤玉雯，却叫出了这个称呼，这是偶然的，并不是故意，他的确没有一点伤害她的心思。

“张太太？你为什么要这样叫我？”她突然掉过头来，半歇斯特里地说。她用强烈的，愁烦的眼光看他。那两只眼睛里这时候好像充满了血。“我恨这个‘张’字，我恨一切的‘张’字？”她突然把头倒在沙发的靠背上面，两只手盖着脸。

“你怎样了？”他连忙站起来大步走到她的面前惊惶

地关心问，他开始忘掉自己的战略了。“玉雯，我的话会把你伤害得这么厉害吗？你误会了。你完全误会了！我实在没有伤害你的心思。我不过是为着智君的幸福打算。”

“你难道就一点也不顾念到我的幸福吗？”她突然迸出了这一句带哭的话语，却并不放下手，使他依旧看不见她的脸。过后她又加了一句话：“我也是一个需要帮助的人。”

他很感动，他差不多要把他们两个中间的无形的栏栅翻越过了。他这时候忘记了许多事情。他便在沙发的靠手上面坐下去。起初他用手轻抚她的头发，过后他又去拉她的遮脸的手。这还不能够安慰她，使她平静。但是他忽然起了一个恐怖的思想。这时候熊智君就好像站在他的面前，用她的含着愁思的眼睛看他。他马上就站起来。

他想，要是智君来到这里看见这种情形怎么行呢？然而她一定会来的，因此玉雯就应该马上离开，这样想他有些着急起来。

“玉雯，我也许不应该对你这样地说话，”他抱歉地对那女人说，依旧伸手去抚摩她的头发，因为他觉得有些心软。“但是我必须说，你应该走了。智君马上就会到这里来的。我们的从前的关系，不应该被她知道。我说过她再受不得这样的一个打击。你从不为我着想，你也得替她着想。况且你是她的好朋友。”他说不下去了，因为再找不出适当的话。他就在房间里烦燥地踱起来。

玉雯不回答，依旧在低声哭。她也在想，她想在从前他是怎样地追逐她，爱她，他只爱她，她的一句话几乎就可以支配他的行动。可是如今她怀着空虚的心来求助于他，他却要驱逐她了。想起来她只有心痛。

“你的话自然是有道理的，我决不敢插身在你们两个的中间来破坏你们的幸福。这罪名我担当不起，而且我也不愿意。我现在并没有别种野心，只是我如今到了这地步你就一点也不怜惜我吗？我从前也曾被你错爱过呢！你看，我以后的日子，那不是还要比智君的悲惨百倍么？”她开始带哭声说，说一句话就要停顿一些时候，这表示出来她的心里的悲痛，到最后她再也说不下去了。她的头虽然是抬起来了，却被她用一只手拿手帕来掩盖住。他看不见她的脸，这倒好。

他的心里正起了一种激斗，好像两个回忆，两个面庞正在向相反对的两个方向拉他的心。他随时都在想用一个克制自己的力量来消灭这激斗。听见她的最后一句话，他就鼓起勇气说：“这和我有什么关系呢？又不是我使你到这地步的。”但是恰恰在这时候他看见她抬起头来望他。那脸虽然是被生活摧毁了，依旧有些美丽，而且被泪水洗涤了以后，也有些纯洁，纯洁到使他记起从前的那一个女神般的同志了。那个脸庞，那个满是泪痕的脸庞！……他的心又软了。他仿佛就看见他的话怎样割着她的心，他觉得自己不能够做得这样残酷，他就连忙走过去，站在她的面前，又对她表示歉意说："你原谅我罢，我并没有一点要伤害你的心思。我也知道你这几年来的境遇很苦，我也同情你，我也想帮助你，但是我有什么办法呢？只恨当初——"他不把这句话说完就住了口。他想只恨当初什么呢？只恨她不该背弃他走到那官僚的怀里去吗？只恨他不该为着革命忽略了爱情，所以和她分别一年，以致把她失掉吗？但是这些都没有在这里提说的必要了。他为什么还要恨这些，还要说这些？如今在他的面前哀哀地哭着的就是他曾经爱过，崇拜过的那女人。不管她怎样抛弃过他，而且给了他多大的痛苦，但是在她身上究竟曾经存蓄过那么多的使人敬爱，使人感动的美丽的力量啊，并且如今在她的被泪水洗净了的憔悴的面孔上，他似乎又找回来从前的那个女郎了。

他于是温和地俯下头去，在她的耳边低低叫了一声："玉雯。"这声音她是很熟习的，他自己也是很熟习的。这声音似乎通过了过去的一些年代而回到他们两个中间来了。

她马上抬起脸，直视着他的眼睛。显然是他的这声音鼓舞了她。这声音是她所渴望的，但来得有些突然了，使她不能够立刻就相信。她于是抓住他的两只手，祈求他说："仁民，给我一个机会罢。你看我现在差不多要跪倒在你的面前，哀求你宽恕我那过去的过失了。你难道就是这般残忍的男子么？便是一个陌生的男人看见我这样也会动心的。何况你……"她的脸上起了一阵红晕，爱情使得她的脸变成美丽了。

他看着这个脸，听着这些话，他差不多要完全忘掉自己了，他一把就把她抱起来，但这并不是紧抱，他刚刚把眼睛对着她的眼睛，忽然又把手松开了，略带了一点惊恐地说："智君！"他退了两步，然后捧着头睁大了眼睛说："不能够！在我们中间再不能够发生什么关系了。我已经把我给了智君。"

"但是我并不要占有整个的你呢！"她逼近一步，眼光探究似地看着他，她的声音里充满了确信，她并不是在和他开玩笑，这确信倒使他有些惊讶了。

"你的话是什么意思？"他有些为难地望着她。

"难道我们就不可以再像从前那样地相爱么？"她的面容变了，她再没有一点无助的样子。她的眼光甚至威压地逼迫着他。她的这一句话直捷了当地就像一把刀划在他的心上。他觉得现在有了智君以后，他和她再不能够像从前那样地相爱了。这是不可能的事。但他又为这个可惜。他在和自己挣扎。他想拿出一种力量来完全拒绝她。

“当然是不可能的了，”他绝望地咬着嘴唇，“我如今有了智君，你也有了你的丈夫。这事情是很明显的。”

“我的丈夫，”她竖起两根眉毛冷笑两声，脸上现出了憎恨的样子，“他毒害了我一生的幸福，我恨他，我只恨他！难道我还应该为他保守这贞操么？他自己在外面也有不少的爱人。”她睁大两只眼睛，这眼睛是红红的，眼皮有些肿，眼睛里面射出报复的光，引诱的光，爱的光，在他的脸上盘旋，就像在找寻俘虏。

“玉雯，你会有这样的思想？你以为我爱上智君同时又可以和你发生关系吗？”他惊惶地说。他这个人在别方面是很大胆的，独独在恋爱一方面却拘束得很厉害，拘束到连自己也不觉得。实际上他还不知道自己是一个很认真的灵肉一致主义者。

“为什么不可以呢？一个人同时爱两个人也是可以做到的。”她并不放松他。

“但是智君是不能够忍受的，而且我也不能够欺骗她，”他摇头说。他想这个女人也许就要发狂吧。但他又不能够把眼睛离开她的脸。他觉得她的脸还很可爱。

“为什么说欺骗她？这不也是正当的么？你在这一点上，原来也和别的男人一样，我以为你是个革命家，这我错了！”她又在沙发上面坐下去，她打开手提包在脸上重新扑了粉，她在表面上似乎变得安静多了，在心里她却不是这样。她现在实在还爱他，而且她现在就像在战场上奋斗一样要来征服他。她的思想不一定就和她的话完全一致，一半也是为了征服他的缘故才说这些话，而且这还是她这几年来的生活与爱情的经验的结果。“你且给我说明为什么你几年前要爱我，如今又不爱我。我还是同样的一个人。”她微微一笑。

“你说你还是同样的一个人？”他惊讶地问。他奇怪她会说这种大胆的话，他又一次咬着嘴唇皮，显然他不能够忘掉过去的事情。“你抛弃了革命运动跑到那个官僚的怀里去，你跟着他过活了这许多年，你还说你没有改变！单是你的面孔也改变得太多了。我能够在你现在的粉脸上找出一点从前的纯洁勇敢的痕迹么？你自己想一想。”

他说这些话，就捏紧着拳头，他怕自己随时会把话收住不说下去。她的眼睛祈求似地望着他，好像在说：“可怜我，就不要说下去罢。”然而他要说下去，他感到一阵复仇的满足。

“但是我爱你的心思并没有改变呢！这许多年我都没有忘掉过你。当时固然是我不好，但你自己也有些不是处。你不明白女人的心理，你把我撇下过了一年，连信也不多写两封。你如今能够怨我另外嫁人么？他是很聪明的，他乘着那个时机便把我骗到了手。而且我嫁给他也还有别一种苦衷，这我也不必向你说了，说出来你也不会相信的，总之，你们男子现在是占着许多方便的，你们可以随便和多少女人发生关系都不要紧，而我们女人和一个男子发生了关系，好像就被盖印上了一个印记，我们永远就没有一点自由和权力了。”这些话都是用力说出来的。她的眼睛里冒出火，她的脸红红的，因了这番用力就显得更有生气，更年青了。

“玉雯，你且歇一会儿，我看你快要发狂了。你不知道你说的是什么话。你想有智君和你的丈夫存在着，我们还可以像从前那样地相爱吗？你已经不是从前的那个女郎了。我现在也不爱你了。”他的话也是费了大力才说出来的。他这时候很苦痛。

她的脸色变了，她又坐倒在沙发上面，她一只手摸着额角，突然坐下去就像跌倒一般。显然是她绝望了。

他就把脸掉开，不敢再看她一眼，他明白她的心这时候破碎了，却不知道这其间她又恢复了勇气而且有力量站起来对他说：“你说谎！我知道你说谎！你并不曾忘掉我，你不能够说你现在不爱我。”

她的声音是如此地威压，直打在他的心上，使他马上就回过头来。他把她的红红地发光的脸看了一下，他就被一个恐怖的思想占有了。她的话并没有错。他并不能够忘掉她。他现在还爱她，同时他又更爱着熊智君。

“仁民，不要做得这样顽固罢，不要自己骗自己罢，”她站起来用温和的声音哀求他说，同时把他的手拉着。“你看我的生活是如此寂寞，我需要你的爱来温暖我的心。我已经为从前的那错误受够惩罚了。现在我是怀着悔恨的心来求你的宽恕。我预备来开始新的生活，但我需要你的爱来医疗我的创伤，鼓舞我的勇气，这一点要求，你该不会拒绝我罢……”

他不能再忍耐了，他一把抱着她，看她的脸，预备把嘴唇印下去。忽然一个回忆阻止了他，熊智君……那官僚……过去失恋的苦痛……复仇……他又把她放开，绝望地说：“完了，玉雯，我们中间的一切关系就从此完结了。”

“完结了？你为什么这样狠心？你难道还牢记着从前的事吗？”她紧紧抱着他，哀求他，还把脸凑上去，要他吻她。

“我怎么能够忘掉从前的事情？”他红着脸挣扎着说。“最重要的是你有了你自己选择的丈夫，而我又爱了智君。”

“我自己选择的丈夫。是的，但我那时是受了骗，而且现在我不要他了……你也和别的男人一样地思想？我还以为你是和别人不同的。”她看见希望渐渐去远了，还忍着心痛极力来挽住它。“我的丈夫是不能够干涉我的，而且我随时可以脱离他。至于智君，她的存在对于我们并没有妨害。你也可以爱她，你也可以和她同居。”

“那么你呢？”他茫然地问。

“我做你的爱人，我自己可以生活，又不要你的经济的帮助。我们这样不是过活得很好吗？我需要的只是你的一部份的爱情，我并不要全部，你可以把另一部份给智君。”她梦幻地说下去，她仿佛已经把希望抓在手里了。

“玉雯，你疯了！你怎么会说这样的话？”他惊讶地而且差不多愤怒地说。“我的爱情从来是忠实的。我不能够同时把爱情给两个女人，我不能够欺骗智君，智君也不能够让我这样做，我知道现在有不少的男人是这样做的，一个人同时和几个女人发生关系，但我不能够。我说一句最后的话：我不爱你了。你需要男性的爱情，你可以去找别的男子。像你这样的面孔，打扮，手段还可以迷住许多男子，但是你再不能够迷我了。”他复仇似地用这些话来打她。他看见她做出痛楚的样子。

“你——你对我说这样的话？你的决心果真是不可以挽回的吗？”她鼓起最后的勇气去看他，但是她的眼光已经在颤动了。

门是半掩住的，就在这时候外面有人在门上敲了几声就推开门进来。来的是熊智君，她看见了房间里两人谈话的情形。

张太太微微叹了一口气，就向着熊智君走了两步，叹息一声。吴仁民的脸变成了苍白色，连忙装出一个笑脸。

“玉姊，你在这里？”熊智君惊疑地问道。

张太太略略呆了一下，然后微笑地回答说：“我有事情来和吴先生商量。他正预备去看你，却被我拦住了，耽搁了他这许久。……智君，你和吴先生什么时候请我吃酒。”她虽然微笑，但这笑里是含得有悲哀的。

熊智君看出笑里的悲哀，她的惊疑更深了。听到最后一句话她不免要红脸，她不回答，却柔情地看吴仁民好像这句话应该由他来答覆一般。

“快了，张太太，你不会久等的，”他勉强地回答了这一句，自己也觉得笑得有些勉强，他还不能不时时偷眼去看张太太。

“好，我先去了，你们两个慢慢儿谈话罢，我不再打插你们了。”张太太略略踌躇一下，就下了决心地这样说，话里是含得有别种意思的，不过吴仁民还不懂得。他只知道这时候她的心是很悲伤的，但是他不能够帮助她。

张太太的高跟鞋的声音渐渐消失了。她走得很慢，已经走下楼梯了，她又回转来。她对着吴仁民的惊异的脸问道：“吴先生，你明天早晨有空吗？我还有些话要和你谈谈。”

“啊，我明天有事情，一早就要出去，”吴仁民慌张地回答，显然他不愿意再和她单独会面，她知道。他就这样不留情地拒绝了她。

“好，等你将来有空时，再和你谈罢，”她用一种沉重的眼光在他的脸上盘旋了一下，就掉头走了。这一次她的脚步下得很快。高跟鞋的清脆的声音在屋里两人的耳边响了一会儿就消灭了。

吴仁民看着她的背影微微叹了一口气，他忽然想跑出去追她，唤她回来，但他始终没有把脚移动一步。

“她的境遇也是很不幸的，我不晓得她怎样可以忍耐了这么长久。”熊智君在他的耳边低声说，声音里充满了同情。

他觉醒似地回头看熊智君，他不回答她，只是默默地把头点了一下。他的头脑还被忧郁的思想压着。

“她和你商量什么事情？她的样子好像是很不愉快的，”熊智君温和地问。

“一件不重要的小事情，我却不能够给她帮忙。”他受窘似地略略踌躇了一下，过后就装出冷淡的样子回答她。

她就不再问话了。她开始在思索。这时候疑惑又偷偷走进了她的心。她想他和张太太从前一定有过什么关系，她又记起那一次两人初见面的情形。她想：“他以前一定认识她，但是他们为什么又要这样掩饰呢？”她并不把这疑惑对他表示出来。

渐渐地他们两个都把张太太暂时忘掉了。他们手拉手地坐在床沿上密切地商量着同居的事情。吴仁民希望这事情快一点实现，熊智君自然是很愿意的。不过他觉得他现在的生活情形对于这个有些不方便，而且高志元又住在他这里，高志元甚至会破坏他的事情，所以他很希望到一个清静地方去度蜜月。但这需要着一笔颇大的款项，而他们却不能马上就筹出来。最后他们商量好就在半个月内两人尽力筹到必要的款项。

吴仁民陪熊智君出去在公园旁边的一家俄国饭店里吃了西餐，过后两人就在公园里度过大半天的光阴。

吴仁民回到家里，天刚刚发黑，房里冷清清的。他却不怕这寂寞。他的心里充满着希望。未来的幸福的生活的幻象安慰着他。他想且在女性的怀里休息一些时候，再来以新的精力从事主义的工作。

十一点钟光景高志元气咻咻地跑上楼来，一进屋就张开大嘴说："今天跑累了！"

"你干些什么事情？昨晚又不曾回来睡觉！"吴仁民带笑地问。

"昨晚在亚丹那里睡觉。我们大后天就动身到 E. 地去，"高志元庄重地说，显然他把这看做一个大事情。

"大后天？这样快？"吴仁民惊讶地问，他觉得有些可惜。

“快？你还说快，我们很早准备E.地去，已经耽搁了一个多月了。”高志元加重语气说，好像他恨不得马上就动身。同时他摸出一叠钞票来计数。都是五元的钞票，数目似乎不少。

这一叠钞票就提醒了吴仁民的一个记忆。他想了想，就对高志元说：“志元，你可以在别处想法给我借到一点钱吗？”他觉得很有些不好意思。

“你要钱用？要多少？这就够吗？”高志元顺手就递了一张五元的钞票给他。

他却把钞票退还给高志元，一面说：“这不够，至少也要六七十元，最好能够借到一两百元。”他的声音有些战抖，他觉得高志元的一句答语就可以决定他的幸福或不幸。

“这样大的数目？你要它来做什么用？”高志元抬起头惊讶地看他。

“我预备和熊智君同居了，我打算和她到一个清静地方去旅行，”他迟疑地说，一面红了脸微笑着。

“又是女人，”高志元吐了一口痰在地板上，把一只手在眼前一挥鄙夷地说。“要同居就同居好了，还打算旅行？一定还要请客，是不是？我不能够替你借到钱。即使有地方借，我也不替你去借！我不能够帮忙你去演爱情的悲喜剧，”说着他就把面前的一叠钞票通统揣在怀里。

吴仁民被高志元指摘了一番，心里有些不高兴，就半生气地对他说："这一点忙，你也不肯帮我吗？你们都是只顾自己的人！你身边不是有着这许多钱吗？"

高志元一生气，脸就变红了。他睁大了眼睛望着他抱怨说："你真是岂有此理。这许多钱是E.地寄来的，有许多正经的用途，我们到E.地去也要靠这笔钱，算起来恐怕不够！你凭良心说，我和你两个每天都在奔走，看谁是为公，谁是为私？"

吴仁民受了这番抢白就说不出话来了。他也红了脸。他在房里踱着。他有些失望，又有些烦燥，还有些惭愧。他没有理由来抱怨高志元。他想别人都在为事业奋斗，他一个人却在为爱情奋斗，把时间完全浪费在爱情上，到现在还在为着一两百块钱焦急。这一笔颇大的款项在目前是不容易筹到的，高志元这方面已经绝了望。去找李剑虹恐怕也不会有什么大希望，而且自己又不愿意。找××书店借钱又不好出口，自己手边又不曾有一部或者一篇现成的翻译文章。现在那希望是慢慢儿飞去了。他明白自己是陷在怎样困难的情形中了。他为着这样一件小事情熬尽了心血，而结果依旧没有办法。

他于是开始悔恨起来。他带着负罪般的心情和高志元谈了许多话，这些话好像都是说来替自己辩解的。高志元劝导了他一番，结论还是抛掉女人。

他含糊地答应了。但是等到他们扭熄了电灯上了床以后，他听见高志元的鼾声，自己却在床上翻来复去，不能够闭眼。他禁不住要想熊智君。那个女人的面孔就在黑暗中向他微笑起来。

十　二

第二天张太太叫人给吴仁民送了一个短信来：

仁民——我觉得无论如何我们还有再谈一次话的必要。你可以约定一个时候和我单独会见么？不要拒绝我罢！为什么你要把我当做魔鬼般地害怕呢？

你的苏菲亚××日

在从前张太太的确曾经被吴仁民和别的一些同志称做苏菲亚的，那时候在她们的运动里占着一个重要的地位，而且被众人当做女神般地敬爱。可是现在那一切都成了过去的梦痕。看到“你的苏菲亚”五个字，吴仁民就含糊地记起了一些事情，这回忆使他痛苦，又使他愤怒。她显然是用这称呼来引起他的好感，来挽回那失去的爱情，但是他的苏菲亚是永远地去了！

他就在原信的背面写了几行字，交给送信的人带回去。

> 我的苏菲亚已经死了。她是在几年前自杀的。我觉得再没有和你谈话的必要。我们以后最好不要见面。我也许害怕你，我也许还害怕我自己。

他写了这封信以后还有些系念着张太太，还为她的近来的生活与心情担心。但不久熊智君来了。和熊智君谈了几句话，他就忘了张太太，而且他甚至拿写了那封拒绝的信的事情，来为自己庆幸。

熊智君欣喜地告诉他，她可以筹到一笔钱，这是张太太很慷慨地答应借给她的。他起初有些不愿意，觉得这未免失掉自己做男子的人的面子，但经过了她的一番解释后，他也就不再争执了。他还有些感激玉雯，可是后来他又起了疑心。他想玉雯这样做显然是借此来博得他的好感，或者将来还有别的企图。他这样一想，又把他的和平心境扰乱了。

他自然不把这意思告诉熊智君，不过他预备自己去奔走一两天来筹到这笔款子。

他自己果然奔走了一天，却没有一点效果，依旧是两只手空空的。

再过一天就是高志元动身的日子。凑巧在前一天张小川从龚德婉的家乡里出来，张小川显然是在龚家行了结婚礼的，虽然他只发了一张说明同居的卡片到外面来，而且这卡片差不多是和人一齐到的。因了这缘故李剑虹又在家里请客，一方面接待张小川夫妇，一方面又给高志元和方亚丹饯行。吴仁民也被邀请做一个陪客的人。

吴仁民很早就到了李剑虹的家里，他想和李剑虹商量借钱的事情。但是他一看见张小川已经在那里高谈阔论，他就不愿意开口了，只是默默地坐在一边听张小川叙述他在龚德婉的家乡里遇着的种种得意的事情。张小川说到自己以为是得意的地方就把眼光向龚德婉的圆圆的粉脸上一望，好像在说：“是这样吗？亲爱的！”于是龚德婉把两只细小的眼睛柔情地望着他，微笑地点点头，好像在回答：“亲爱的，是呀！”这表示出来她很满意这个丈夫，认为他是一个了不起的人物，事实上从他的谈话里看来，他果然是这样的。

吴仁民冷眼在旁边看这一对新婚夫妇的亲密情形，不免暗暗地妒嫉起来。他想为什么别人解决这问题是如此容易，而他却一定要熬尽了心血，他失过恋，和瑶珠同居时也遇着不少的困难，现在又陷在困窘的境地里，要筹一笔款子也无法筹出来，朋友们中没有一个肯给他帮忙。

“仁民，你有什么不如意的事情？你今天好像有点不快活！”周如水忽然笑着问他。他有好几天不曾见着周如水了。自从前一次替李佩珠借去了十本书以后，周如水就不曾到他的家里来过。这人的脸比从前憔悴了一点，显然是恋爱事情进行得不顺利。但周如水却问他：“你的恋爱事情怎样了？”

众人听见提到恋爱事情，都注意地看着吴仁民，张小川也闭了嘴，用一只手在他的宽大的薄棉袍子上面抚摩，一面带笑地看龚德婉，她回报他一笑。李佩珠正坐在床沿角上，手里拿了一本书在和那个坐在床边椅子上的龚德娴谈话，这时候也抬起头，用她的晶莹的眼睛去看吴仁民。

吴仁民被众人这样看，不免有些红脸，但他过后就镇静了。他把眉头一绉，马上摆出一个忧郁的面孔，用一种苦涩的声音回答说：“恋爱是那般有闲阶级的把戏，我是没有福分来享受的。”他说这话很像是故意来挖苦张小川，不过众人还不觉得。只有周如水有点儿扫兴。这句话简直说到了他的心坎上，并不是挖苦他，却是提醒他。

周如水把眉毛一皱，把头往下一埋，他不答话，却偷眼去看李佩珠，李佩珠正微笑地对吴仁民说：“吴先生的话说得很不错。恋爱是那般少爷小姐们的特权。他们把恋爱看得很重要，因为他们再没有别的事情做。”

吴仁民听见这清脆的声音觉得心里要轻快许多，他便把眼光往她的脸上看，这一个少女的面孔并不避开他的眼光。他惊讶地想怎么李佩珠变得这样美丽了！他又惊讶地想她居然会有这样的见解！

龚德婉在旁边笑起来，她说：“佩珠，那么你呢？你就不讲恋爱吗？”

李佩珠脸一红，微微一笑，就翘起小嘴说：“我吗？我是把事业看得更重要的，我不在爱情里求陶醉，我要在事业上去找安慰，找力量。”

“好一个女革命家！”龚德婉第一个拍手笑起来。

李剑虹微笑地点了点头说：“佩珠的这几句话很有道理。”

“我说佩珠将来一定会做女革命家的，”龚德娴微笑地望着李佩珠说。

“那么我们中国又多了一个妃格念尔了，”张小川略带点讥讽地说，他常常听见李佩珠称赞妃格念尔，所以他有这句话。

周如水在旁边陪着众人笑，他的脸是一阵红一阵白，他的笑大半是假的，他几次动着嘴唇都没有说出话。他想完了！一切都完了！她不应该去做女革命家，她应该做他的柔顺的体贴的妻子。他应该提醒她，使她明白这个责任。但是他怎样提醒她呢？他慌忙中就说了下面的一句话：“我觉得革命是男人的事情，女人只应该……”

张小川在旁边预备着称赞周如水的话，却被李佩珠抢了说去，她甚至打插了周如水的话头，使他来不及说出女人究竟只应该做什么。

“难道女人就只应该在家里伺候丈夫吗?”李佩珠这样反驳他，她的脸上还笼罩着灿烂的笑容。热情在她的心里燃烧了。

周如水受窘似地口吃着，说不出话，众人笑起来。

龚德婉觉得李佩珠有点挖苦她的嫌疑，脸上起了淡红的云，就报复似地起劲说：“佩珠，你不要强嘴！你将来免不掉也要伺候丈夫的。”

周如水觉得有人替他解了围，就笑着赞一声“好”。

张小川安静地躺在沙发上，看了他的妻子一眼，就满意地微笑起来，好像自己是一个享受妻子的温存的好榜样。

李剑虹微笑地看着她们斗嘴，心里有轻微的快感。他很满意他的女儿的说话。但他是个上了年纪的人，对于恋爱的事情不会感到浓厚的趣味。他只是在旁边冷眼看着，就像在看另一个世界里的活动。

吴仁民坐在一个角落里，现在众人的目标是移到李佩珠的身上了。再没有人注意他。他可以在旁边安静地思索。但他却默默地看着李佩珠，自然他的看法并不是很显露的。她不会觉得，即使她觉得，别人也不会觉得。他并不是见一个女子就爱一个的人。他这样看她，是因为他今天忽然对她起了好感，而且她今天显得特别美丽。不过就在这时候他也不曾忘掉熊智君，他有时候甚至在李佩珠的脸上看见熊智君的面容。

李佩珠听见龚德婉的话就抿着小嘴扑嗤笑起来："婉，你说这句话，好像你已经有了很多的经验。"

周如水第一个笑起来，众人都笑了。龚德婉羞得脸通红，很有些不好意思，因为李佩珠说的正是事实。虽然她和张小川恋爱不过几个月功夫，她已经有了不少的这种经验了。但她依旧红着脸分辩道："佩珠，你不要说我，难道你就不讲恋爱？"

"自然。现在我只想读点书，做点事情。我根本就不懂得恋爱；娴，你说我的意思对不对？"李佩珠微笑地回答说，又把龚德娴看了一眼，要她也来说几句话。

龚德娴带笑地点个头，但她又把她的姊姊看了一眼，就说："我不便回答你，倘使我说你的意思对，我就会得罪我的姐姐。"

于是众人都笑了。少女的清脆的笑声是特别响亮。周如水在失望中听见这笑声，也感到安慰了。他想：多么好听的声音呀！他的失望是李佩珠的话语带给他的。她明白地说，她不讲恋爱，她不懂得恋爱。

"我就不信。我说，倘使有一个男人整天家追逐你，包围你……"龚德婉起劲地说。

"就像小川先生那样么？"李佩珠忍着笑突然问道，就打插了龚德婉的话。她的样子似乎颇镇静，却禁不住要像害羞般地红脸。

众人又笑了。这一次张小川很不好意思，他笑得很笨拙。龚德婉更觉得难为情。周如水也红了脸。

“也许还要厉害，那个人甚至会跪倒在你的面前向你求爱，看你怎么办？看你答不答应他？”龚德婉红着脸继续说下去。

“当然是拒绝他，这又有什么难处？”李佩珠忍住笑回答说。她完全不知道这回答对于周如水是一个怎样大的打击。

“拒绝？你就说得这样容易！倘使他对你说你不答应他，他就要去自杀，你又怎么办？”龚德婉用这话来逼她。

“这恐怕又是你的经验罢，不过我想这一定是说来骗人的，谁肯为着一个女人自杀？”李佩珠笑着分辩说，又使得众人笑了，只有周如水的笑是苦笑。

“佩珠，你真聪明！”龚德婉红着脸报复地称赞说。“倘使他果真因了你自杀呢？你竟然这么忍心。真是罪过！”

“婉，不要再和我开玩笑了。我想决不会有人因了我自杀的。即使万一有那样的人，也只怪他自己愚蠢，和我并没有一点关系。我当然没有错过。我可以一点不动心地让他去自杀。”

龚德婉觉得再没有话可以难住她了，就勉强说：“没有错过？你生得这样逗人爱，这就是你的错过！你看那般生得丑陋的女人，有谁去为她自杀？”

“呸！”李佩珠红着脸吐出这一个字，就把头埋下去故意翻看手里的书。

周如水坐在吴仁民的身边，他默默地想着一些可怕的事情，他的身子像发寒颤似地抖起来。他清清楚楚记得那一句话：“我当然没有错过。”他想：你没有错过？我就自杀在你的面前给你看！

周如水的这心情在这房间里只有吴仁民一个人了解。而且吴仁民坐在他的旁边也感到了他的身子的战抖。吴仁民起初差不多把他的注意力完全集中在李佩珠的脸上，直到她说了一个“呸”字埋下头以后，他才注意到别的事情。他的第一个思想是：周如水简直是在睁起眼睛做梦，不会有一点希望。他有些可怜周如水。他的第二个思想是：假使我来进行，看能不能够把她弄到手。他又看她一眼，她正埋着头翻阅手里的那本书，时而把眼睛往上面一瞥。那一瞥从额前的短发下面露出来的晶莹活泼的眼光！她比熊智君还要美丽，还要康健，还要可爱！这一个念头就使得他的全身发起热来，从脸上热到身上。但是第三个思想又袭来了。他的眼前就现了熊智君的凄哀的面庞。他恍然明白他已经有了熊智君，他已经答应把他的一切献给熊智君，他不能够再爱别的女子了。这样一想他的心就逐渐平静起来。在这时候他才感到周如水的战抖，渐渐地从周如水的拘挛着的瘦脸上他又体会到这一个被单恋所苦恼着的男子的心情，他很知道李佩珠的爱情对于周如水是怎么地可贵，他甚至不敢想有一天周如水知道自己的事情完全绝望以后会有什么样的结果。

“如水，”他怜悯地在周如水的耳边低低唤道，又轻轻用手去触他。

周如水把脸掉过来，满脸都是黑云，眼睛里射出来忧郁的光。这使得吴仁民也有些害怕了。

那眼光在问：——什么事情？……？……？

吴仁民想，难道可以告诉他：“你对于李佩珠的恋爱完全绝望了，你去死罢！”……吗？他不能够！他苦痛地把李佩珠看了一眼，又掉回眼睛来看周如水，同时用手轻轻在周如水的肩头上拍了一下。

周如水懂得他的意思，脸上就起了一阵痛楚的拘挛，差不多要哭了。但却被一阵笑声打插了。

原来在这两人用眼睛谈话的时候，张小川忽然拂了拂他的袍子，用半庄严的声音说：“你们女人家心太狠了，看见别人自杀也不肯救他，还说自己没有错过！幸好我不是那种没有志气的男子！”

龚德娴先抿着嘴一笑接着就说：“小川先生，你不要这样说。那一次我就看见你跪在姐姐的面前，姐姐躺在床上，脸向着里面，你对她说着什么事情，我不留心走进来，就看见这情景。你慌忙装着在地板上拾东西，我也假装不知道真相。后来我就看见你的眼角上还有泪珠。”

李佩珠第一个笑起来，后来连张小川夫妇也红着脸笑了。

“娴，你就在说谎！我们决没有这样的事情！”龚德婉带羞地责备她的妹妹。

吴仁民也笑了。这时候高志元从外面走进房里来。他未进屋就先嘘了一口气。然后他对每人做了一个笑脸，又张开阔嘴问：“你们在笑什么？笑得这样起劲！”

“我们在谈恋爱问题，”张小川笑着回答，他很高兴高志元来给他解了围。

“提起恋爱问题就叫我头痛，”高志元把眉头一绉这样说。龚德娴就移到床沿上去和李佩珠坐在一起，把椅子让给他。他把椅子拉出来一点，就坐下了。

“亚丹呢？”李剑虹问。

“不晓得他到什么地方去了？他今天还要去几个地方，”高志元粗声回答。

“今晚上一定动身吗？”李佩珠接着问。“什么时候上船？”

“我的行李都已经运到船上去了。人在十二点钟以前上去就可以，明天早晨四点钟才开船。我和亚丹约定今晚在船上见面。”

“亚丹会到这里来罢，”李佩珠关心地问。

“不一定。我今天并不曾听见他说要来。现在时候已经不早了，他还有许多事情，也许他今天不会来。”

“我想和他谈几句话，”李佩珠略带点失望的声音说。

“那么你就向高先生说，托他转达，不是一样的吗？”龚德婉带笑地对李佩珠说。她说这话显然含了报复的意思，她以为李佩珠和方亚丹说的话一定是不可告人的秘密话。

“好。我本也想到说给高先生听也是一样的。高先生，我希望或者你或者亚丹到了E.地后常常写信给我，告诉我那里的情形。最好希望你们能够在那里给我找到一个位置，我也想到那地方去做一点事情，一点有益的事情。”

“你真的要到那里去？”高志元惊愕地张开大嘴，他搔着乱发，用茫然的眼光看着吴仁民，好像在问：一个女人的嘴里怎么会说出这样勇敢的话？

吴仁民默默地点着头，眼里泄露出了赞许的意思。

“佩珠，你真的要到E.地去？那地方太苦了，你不能够去，像你这样的女人是不能够去的！”周如水差不多用了痛惜的声音这样叫起来。

李佩珠有些不懂得这意思，就用她的晶莹的亮眼睛惊奇地看他，然后又热烈地分辩说：“我为什么不可以去呢？高先生他们都去的。男人和女人不都是人吗？况且那里一定也有不少的女人，她们可以在那里生活，我当然也可以。我也想做一点有益的事情，我不愿意做一个脆弱的女性……爸，你愿意我到E.地去做点事情吗？”她很激动，最后就用哀求的眼光看着她的父亲。

“佩珠，”李剑虹感动地望着她的激动的脸，他善意地微笑了。他温和地说话，他的声音不再是干燥的了，这声音被泪水润湿着，但并不是悲哀的泪，这就像露水一般把他的干枯的心灵灌溉了。“只要你愿意去，只要你下了决心要去，我当然也愿意。我相信你，我相信你的真挚的心，我相信你不是一个脆弱的女性，我相信你会做出一些有益的事情。……你一定比我还会更有成绩，还会更踏实……”他感动得说不出后面的话。他的声音抖得很厉害。在这房间里的人都没有看见过他像这样地感动过。众人惊讶地望着他的略带光辉的瘦脸。高志元和吴仁民两个对于这个上了年纪的人有了另外一种感想，这感想使他们现在和他比较接近了。李佩珠就从床沿上站起来，走到她的父亲的身边。她就靠着他的身子站立着，低声唤了几次“爸”，一面温和地抚摩他的手膀。她感动地喃喃说：“爸，只有你是了解我的，你是唯一了解我的人。”

看见这景象众人都感动，而且有些高兴。只有周如水一个人是愁苦的。他不敢看那父亲和女儿。他埋下头看着自己的胸膛，他暗暗对自己说：完了，一切的希望都断绝了。虽然在房间里，他的眼前却是一片黑暗。在头脑里他的前途伸长出去，那前途也是一片黑暗。

吃饭的时候方亚丹果然没有来，高志元后来就说他不会来了。所以大家就不等他。

“你先前回家去过吗?”在席上吴仁民坐在高志元的下边，说话很方便。忽然想起一件事情，就低声问高志元道。

“回去过，”高志元短短地答了一句话，就回头去喝酒。

“没有人来找我吗?”

“找你?没有人!我在家里不过耽搁了十多分钟。”

“我想智君会来的。”

“喝酒罢，不要老是想着女人。你明天不可以去找她吗?你陪我喝两杯酒也好。”

吴仁民也不再问话了，就陪着高志元喝酒。他想前一些时候高志元还和他在一起分担着他的苦恼，后来熊智君来了，就把他和高志元分开了。于是他在爱情里讨生活，而高志元在秘密工作里讨生活。生活的差异就使他们两个中间发生了隔膜。现在高志元要去了，到 E. 地做工作去了。他这样想着就不能够没有留恋，不能够没有歉意。他便想用酒来使自己沉醉。但他们并没有喝到几杯，酒就没有了。李剑虹是不赞成喝酒的人，所以没有预备许多酒，也不会使任何人喝醉。

吃完饭，大家帮忙收拾了桌子。李佩珠第一个发觉外面在落雨，不过雨点很小，所以众人不觉得。

高志元走到窗前把外面望了一阵，就自语地说："幸好雨点不大，并不要紧，并且我们的行李已经早送到船上了。……明天我就要离开这里了，……这里的天空常常是很亮的，那一边就像在起火。"

"你一时不会回来罢?"李剑虹走到他的旁边温和地问，这晚上的李剑虹比较平日略略有些不同了。

"倘使 E. 地的情形真如他们所说的那样，我就会在那里长久住下去。我常常梦想着一个那样好的地方，我希望你们将来也去那里看看。……仁民。他们很希望你去。我想你要不是被女人的事情缠绕着，你一定会同我一道去的。但是假若你有一天会改变心肠想到 E. 地来的话，你给我拍一个电报来，我就会给你预备好一切。……还有，佩珠，你真肯来吗?我想位置一定有的，工作一定有的，只要你下了决心，我们也会给你预备好一切。你好好地等着信息罢。"高志元说了这许多话。

"我们以后在信函里商量罢，"这是吴仁民的回答。

"高先生，谢谢你。我已经决定了。那么我就等着你的信息罢，"李佩珠带笑地回答高志元，样子颇高兴，并没有一点勉强。

接着李佩珠下去弄了开水上来给众人泡了茶。大家随便谈了一些话，就觉得没有话可说了。

“好，我们可以走了，等一会儿恐怕雨就会落大的，”张小川站起来说。

龚家两姊妹也跟着站起来，穿上她们的大衣。“再玩一会儿罢，”李佩珠挽留说。

“不玩了，时候已经不早了。志元，再会罢，我不送你上船了。”张小川就伸出手给高志元。

“好，再会。”高志元就握了他的手。“你坐车去吗？外面雨渐渐落大了。”

“我们出去叫车，那不要紧，”张小川回答说。

龚家姊妹也和众人告辞了，于是三个人走出去。李佩珠把他们送了下楼。

半点钟以后高志元也要走了。李剑虹父女本来说要送他上船，他拒绝了。他说：“外面雨很大，用不着许多人去，只要仁民一个人陪我去就够了。”他的话没有错，这时候外面果然落着大雨。

高志元别了李剑虹父女，又别了周如水，就和吴仁民走出来，他们把他送到后门口，李佩珠还细心地嘱咐他不要忘记写信告诉她 E. 地的情形，不要忘记给她留心工作。

高志元毫不迟疑地答应了，就和吴仁民两个冒雨跑出弄堂门口。没有黄包车。他们又只得冒雨去搭电车。

这时候李剑虹他们回到楼上去，周如水走在最后。他带着庄严的面孔低声在李佩珠的耳边说：“佩珠，我要和你说几句话。”

李佩珠看了他一眼就把他让进她的房间里。两个人坐在一张方桌的两边。她注意地等着他发言。她想他一定有什么重要消息要告诉她。

“你真的预备到E.地去吗?”这是他的第一句问话。

“当然是真的。我决不会和别人开玩笑,”她热烈地,坚决地回答。她想他也许是担心着她没有勇气到那里去。

他看见她的表情,知道事情已经没有希望了。但他还鼓起勇气用战抖的声音发出第二句问话:

“佩珠,你今天说的关于——关于恋爱的话都是真心说出来的吗?”他看见她疑惑地望着他,好像不懂得他的意思,便继续说:

“你说过倘使真有人跪着向你求爱,甚至拿自杀的话来要挟你,你也会拒绝他,毫不动心地让他去自杀。这也是你的真正的主张吗?你果真是这样想法吗?”

她把两只晶莹的眼睛惊讶地定在他的脸上,表示不明白他为什么要问她这些话。然后她就移开眼睛,平淡地回答说:“我的话当然是真的。我不需要爱情,我不爱他,他去自杀,当然和我没有一点关系。我不负一点责任。”

他又说,声音抖得更厉害:“我举一个例,就譬如果真有一个人因了这缘故要去自杀,你就一点也不怜悯他吗？你就不肯答应他，免得他去死吗？”

“倘使果真有那种人，那么他真太愚蠢了，太无聊了！”

“但是假若你果真遇着一个那样的男人呢？你就一点也不爱他吗？”

“周先生，你为什么老是拿这些话来问我？你难道愿意我去做一个伺候丈夫的女子吗？你难道希望我去嫁给一个愚蠢的男人吗？”她先带笑地问他，后来看见他受窘的样子，就改变了语调解释说：“我现在渴望的是做一点有益的事情，不是去求男性的爱情。龚家姊妹笑我想做女革命家，我只恐怕我不配。……周先生，你生病吗？脸色怎么这样难看？……是的，我现在记起了，你今天说话说得很少，你果然生病吗？”她最后这样关心地问他。

“我没有什么，不过心里有些痛，”他微笑地低声分辩说，这微笑是惨笑。“现在已经好了。”说着他就站起来，把他的微弱的眼光留恋地在她的美丽的面孔上盘旋了一下：“我去了。”

“你在这里多坐一会儿不好吗？外面雨落得很大呢！”她诚恳地挽留他。“你在爸的床上躺躺也好。”

“不，谢谢你。我一定要去了。我可以叫黄包车。”他无精打彩地说，样子很疲倦，却勉强支持着往外面走。

“你就不要去罢，看你的样子很疲倦。”她跟着他走，还在后面继续说着挽留他的话。

“不要紧的，我回家去休息一会儿就好了。你不必下来。”他用一种略有一点凄惨的声音说了上面的话，就走下楼去，并不到李剑虹的房间里去告辞。

李佩珠站在楼梯旁边望着他走下楼去。她想这个人今天举动很奇怪，说话也奇怪，不晓得究竟有什么事情缠住了他。她回到房里还不觉要去想他，她想起了他的过去的事情，她有些儿同情他，有些儿为他担心。但过了一会儿她就被父亲唤到前楼去，她和父亲谈起到E.地去的事情，她很高兴，她把周如水完全忘掉了。

十 三

周如水从李佩珠那里出来，心里痛得很厉害，头脑里好像刻印了几个字：“愚蠢的男人。”

他走出弄堂门口，大的雨点打在他的头上和脸上。他并不防护它们，他只是慢慢儿走着。没有黄包车，没有行人，一部电车在朦胧中冒着雨走过了。一阵光亮在他的眼前闪耀，过后一切都黑暗了。雨点蒙住了他眼睛。

到什么地方去呢？他觉得谁在问他，但是他的身边并没有人。总之，他对于这问话是找不出回答来了。

回家去？这个家字使他的心更发痛。一间冷静的亭子间，一堆童话的书籍，几张女人的照片，这些女人都是他爱过的，却被他的怯懦和犹豫把他们失掉了，都留了一个创痕在他的心上。他的心上已经被这些创痕盖满了，如今又加上了一个更大的创痕，所以他的心痛得更厉害。

他回到那里去做什么呢？那个只有使他心痛的地方

就是他的家！他回到那地方，看见那些女人的照片就记起了他一生的被剥夺去了的幸福，就记起了他一生所犯的错过。是的，有许多次幸福就在他的眼前闪耀，他一举手就可以把它抓到，但他却自己往后面退避，让别人把幸福给他拿走了。他的幸福并不是被人剥夺去了的，却是被他自己断送的。他活着只是继续拿他的怯懦和犹豫来摧毁他自己的幸福。他并不苛责自己，他的家里分明地存留着许多这类的证据。他已经被这些证据折磨了许多年了。

他不要回到那里去！他不要再看那些照片，他不要再被那些悲痛的回忆来折磨！这一晚他的心上已经盖了那一个大的新伤，不能够再忍受别的零碎的打击了。

他究竟到什么地方去呢？再回到她家里去吗？她本也曾留过他在她那里多坐一会儿！他为什么固执着要走出来呢？……“愚蠢的男人!”这五个字不是分明地责骂着他吗？她不是很明显地说过她不需要他的爱情，即使他为了她自杀！她也丝毫不动心吗？……那么她就完全不爱他！是的，她甚至会鄙夷他，即使现在不，将来也会鄙夷他！……她不相信他会自杀！她明明知道他会为她自杀，她却说她不相信，她这样看不起他！他真可怜呀！他爱一个女人，却不敢让她知道他的爱情，却表现出种种怯懦犹豫的样子使她看不起他。她不相信他会自杀。他就自杀给她看！

自杀！这就像一股电光！朋友们都讥笑他，说他没有勇气自杀。他们都说他一生不曾做过一件痛快的事情。是的，他果然不曾做过一件痛快的事情。现在他应该做了！……朋友们，那都是和他没有关系的人呀！他们都不关心他的。在全个世界上就没有一个爱他关心他的人！在从前他还可以拿母亲来做挡箭牌，他还可以拿良心的慰安来宽慰自己，说是为母亲而生活，可是如今他的母亲又死了。在全个世界上他是孤零零的，和一切的人都没有关系，伴着他的只有那些悲痛的回忆。那回忆永远伴着他，为的是来永远折磨他。但是他现在要把它们埋葬了，永远地埋葬了。

雨点不住地打击着他的头，他的脸，他的手，他的身子。他踉跄地走着，有好几次几乎滑倒在湿地上。他的全身衣服已经湿透了，雨点就像打到了他的心上。他的心痛加增了。

死，自杀，这是毫无疑惑的了，因为活着只使他受更大的苦，更大的折磨。……但是无名的生，无名的死，没有人爱他，没有人哭他……这是多么伤心的事情。……他永远是一个怯懦的人，犹豫的人，愚蠢的人！……

他的眼泪畅快地淌了出来。泪珠和雨点混在一起把他的眼睛润湿了。

他低低地唤着一个女人的名字。

第二天的晚报上在一个不被人注意的地方载出了一

段小消息。标题是用三号字排的：

××江畔书生轻生

第三天的晨报上也载有这消息，却换了一个标题是：

无名青年投江自杀

这个消息并不曾被周如水的朋友们注意到。

十　四

吴仁民送别了高志元和方亚丹回家来，时候已经很迟了，雨还落得很大。电车上就只有他一个人，很冷静，很单调，他就觉得是在做梦。他想起刚才在船上别了的四个朋友，他的心因留恋而痛楚了。是的，四个人，除了高志元，方亚丹外，还有两个青年朋友，他们如今是到那活动的，充满了生命的 E. 地去了，他本来也要去的，可是却因了女人的关系就依旧留在这沙漠一般的都市里。这都市这时候在他的眼睛前显得是地狱一般地黑暗了。那几个朋友就像黑暗的都市里的几点星光。如今星儿陨落了。他想着那过去的一切，他不能够没有留恋。

先前在船上送别的一幕又在黑暗中显现了。那热烈的期望，那诚恳的握手，那诚恳的祝福，那同志的信托！

“我们在 E. 地等着你，希望你能脱出女人的羁绊到那里来，”高志元热烈地说。

“其实留在这里也可以做些事情，只要你能够拿出勇气来打破那女人的难关，我相信我们下一次见面一定不会在这种惨淡的情形里，大家看看罢，”方亚丹很有把握地说。“还有一件事，我们团体里还有一些朋友留在这里，他们都是很勇敢的同志，他们也很相信你，希望你时常和他们往来。他们有什么事情要找你，也望你尽力给他们帮忙。蔡维新和工会那里你也应该常常去。总之，不要把时间完全浪费在女人身上去了。爱情的陶醉是不会长久的。”

爱情的陶醉是不会长久的。这是一句何等可怕的话。但是现在他对于爱情已经开始有些疑惑了。这许多天来他为爱情差不多熬尽了心血，而结果却出乎自己的意料之外，他是陷在一个困难的情形中了。一两百块钱没有借到手，玉雯又拼命来和他纠缠。总之这许多琐碎的事情就把他的头脑缠昏了。他完全把他的思想浪费在这些琐碎的事情上面，当他的朋友们，（甚至李佩珠也预备着）都为理想苦苦地奋斗的时候。他真该惭愧呀！

然而最后终于是熊智君占胜利了。她的凄哀的面庞盖满了他的全个脑子。他想：他必须和她开始那同居的生活，他不应该抛弃她，她决不会妨害他的行动，他以后还可以为理想努力，而且加倍地努力，她还可以帮助他。……

他下了电车，街上非常清净，没有一个行人，没有黄包车，雨点畅快地洗涤着马路，于是又洗涤他的头发，他的脸，他的衣服。他用一只手遮着前额，就拼命向前跑。眼睛里看见的不是街道，却是一个美丽的面孔，熊智君的凄哀的面孔。

回到家里，脱了湿衣，他并不觉得寂寞，他的心是暖热的，因为有她的面庞还在旁边伴着他。这面庞就陪伴了他一夜。这其间他也看见另一个女人的面孔，那是玉雯的，他有些怜悯她，他甚至祝福她会和她的丈夫和好起来，他并不觉得这种想法是有些卑劣的。

十　五

早晨他躺在床上不想起来，心里很不好受，他想大概是生病了，就躺着等熊智君来看他，到了十二点钟的光景，楼梯上忽然起了急促的高跟鞋的声音，熊智君慌张地推开门进来，她的脸色很苍白，眼睛恐怖地大大睁着，叫了一声“先生”，就说不出一句话。她喘息地跑到床前，半晌才挣出了一句“张太太死了！”

“她死了？这么快？”他吃惊地推开被褥坐起来。

“她服毒自杀的！……刚刚才死在医院里。”

“自杀？你说她自杀？她为什么要自杀？”他惊惶地紧握着她的手腕问道。

“你一定知道那原因，她有一封信给你！”她恐怖地，痛惜地，疑惑地看着他。

“她有信给我？在什么地方？”他苦痛地急切地问。

“在她的丈夫的手里，那信被她的丈夫拿去了。”

“她的丈夫来了？你怎么知道有那封信？”

"她的丈夫拿给我看的，但我只看见信封。她的丈夫说本来告诉过她要搭昨晚的夜车来的。……第一个发觉她服毒的是她的丈夫……那时候她还没有死……马上就把她送到医院……打了几针，……她吐了一些黑水……她差不多呻吟了一个钟头，……神志也不很清楚……她看见我就当作是你，叫唤了几声你的名字……后来她就慢慢儿死下去了。"她的脸上被恐怖的表情笼罩着，她说话的时候就好像那幕惨剧还在她的眼前。忽然她猛省似地用颤抖的声音说："先生，你应该躲避一下，她的丈夫很恨你，说她是被你害死的，他又知道你是个激烈的革命党，还说你是她从前的情人，他要叫官厅逮捕你。你快点离开这里，马上就搬个地方。他知道你这里的地址。"她的声音后来就变为恳切的哀求了。

"智君，不要紧的！他不敢把我怎样。他没有权力来逮捕我，况且他又没有捏着一点凭据！我不怕他！"他用温和的口吻安慰熊智君，可是他心里激动得很厉害。他没有恐怖，却有愤怒。

"她的信呢？她信上说些什么话？我应该知道！"他倒在床上，沉默了半晌，忽然用渴望的，悲痛的声音说。

"先生，你不要这样粗心。他们那般人什么事情都做得出来的。你赶快就起来，我给你收拾行李，"她哀求他，一面用手去拖他。但他不肯起来。

"先生，你纵然不肯为你自己打算，你也该为我的幸福着想，你想我失掉你，怎么还能够生活下去。对于我，你的安全比我的一切都宝贵。你就暂时躲避一下罢。”她把身子伏在他的身上，她的身子微微抖着，她的眼睛已经被泪水润湿了。

“智君，你不要就像女孩似地受人欺骗。那个人故意说这种话来恐吓你。”他说着就拿起她的右手放在嘴边吻着。“我是不怕的。我不会有一点危险，你不要替我担心。真正有危险时，我自然会躲避，现在是不要紧的。我很疲倦，我还要躺一会儿。你就安静地坐在这里罢，让我慢慢儿告诉你我和张太太的关系……”

“你真的没有一点危险么？他真的不会害你么？”她疑惑地，关心地问，她把脸挨近他的脸，她的泪珠还从眼睛里掉下来。

“不会的，你不要怕。”他对她做了一个凄凉的微笑，就一把捧着她的脸狂吻起来。

熊智君所说的张太太的遗书已经被她的丈夫毁掉了，除了那人外再没有第二个人看见。信的内容是这样的：

仁民——我爱过你，但我并不是为你自杀的呀！我自杀因为我不想活。我觉得活着真没有意味。我起初还以为你是我理想中的男子，本来你是和一般人不同的，你比他们要好一点。但是我如今才知道在男女关系这方面，你还是不比别人高明！至于其余的人就完全和我的丈夫一样了。世间没有一个我理想中的男子，我把爱情给谁呢？所以我要死了。我的丈夫，这蠢驴子，他完全不曾得到过我的爱情。他不过当初把我骗到了手。至于你呢，你这可爱的蠢人，你永不懂得爱情，你也永不会得着我的爱情，我现在要死了。自己割断自己的生命，我究竟是个勇敢的女子呀！药水的颜色是很鲜艳的，我服了它，它会把我带到另一个世界。从此谁也不配来占有我了。

玉雯。×月×日

可惜吴仁民是没有机会读到这信了。

十　六

张太太死后半个月的光景吴仁民带了苍白色的面孔去访问李剑虹。

他和李剑虹坐在书桌的邻近的两边。他拿出了一封信给李剑虹看，信是短短的，细小的字迹布满了一页信笺。

先生——我现在跟她的丈夫去了。我答应嫁给他，因为要救你，而且免得他以后再想法害你。他这个人什么事情都做得出！为了使你安全，我牺牲这身子，我也没有什么遗憾。况且我知道我是活不长久的，我和他在一起至多也不过半年！这几天我又在吐血了，心口也时常痛，不过我不曾让人家知道，我现在不再淌眼泪，也许我的眼睛已经干枯了。先生，我去了。想起你待我的恩情，就好像做了一场梦。只有梦景才是美丽的啊！只有梦景才是值得人的留恋的啊！

先生，我去了。不要再记念我了，也不要为我的命运悲伤。我是值不得人怜惜。我想，我去了，免得拿我的垂死的身子来累你，这也是很好的事情。

不要找寻我了。我希望你在事业上努力，从那里你可以得到更大的安慰，这种安慰才是真正的安慰啊！

我祝福你，我到死都会记念着你。

你的永爱的智君×月×日

他等李剑虹读完了信又把信递给坐在靠背椅上面的李佩珠。他一面用悲苦的声音把过去的事迹毫不遗漏地叙述出来。说到后面他的眼泪也就滴下来了。他并不去揩拭它们，却叹息几声。最后他悲愤地用下面的话结束他的故事道：

“这个人，他两次把我的爱人夺去了！”

他捏紧拳头，眼睛里射出强烈的憎恨的光，牙齿用力把嘴唇皮咬。

李剑虹沉默着，李佩珠也沉默着，她还在埋头读那封信。一种沉闷的空气窒息着他们。

“我一定要到C.地去找他，和他拼一个死活！”吴仁民烦燥地说，复仇的念头咬着他的头脑，他的心。

“可怜这一个好女子，又多了一个现社会制度的牺牲者了。”李剑虹叹息地说。他的面容是很严肃的，使别人看不明白这时候他心里究竟在想些什么。

“我不能够！我宁愿让自己粉身碎骨，不肯让他得意地活着。我不能够让她就嫁给他做妻子！”吴仁民涨红着脸大声说，像在和谁争论。

“仁民，我觉得你没有理由再去找寻她。”李剑虹用明朗的声音说，样子很庄严，就像在开始一篇演说。“我们谁都没有权利随意毁掉这个身子。我们应该留着它来对付那真正的敌人。那是制度，不是个人。我们的仇敌是制度。那人只是你的情敌。你没有权利为爱情牺牲掉性命，许多的朋友都期望着你。我也许误解过你，但我现在是很愿意了解你，这情形只有佩珠才知道，”他掉过头把李佩珠看了一眼，便又继续说下去：“只有她知道我是怎样的一个人，她知道我的弱点，也知道我的——好处。我也许是个书呆子，我也许犯了许多过失，不过你们有时也误解了我。譬如你们攻击我不该庇护小川，其实我也知道小川现在改变了，但我还希望他有一天能够恢复从前的样子。你们攻击我的话，我也知道一些，自然你们也有理由，只恨我不曾做出一件事情来解释你们的疑惑。我是一个知道改悔的人。我希望有一天我能够把真面目显露给你们看，我也希望你留着这身子来做日后的我的一个裁判者。……总之，我希望你忘掉熊智君罢，这也许对你是一个大的打击，但你应该像一个强硬汉子那样把它忍受下去。你一定知道爱情只是生活里的一个小点缀，我们没有权利来享受它。做一个革命者，一生是得不到个人的幸福的。……你还应该记着她的最后几句话，那才是她对你的真正的期望。”

吴仁民埋下头，不作声，他的心痛楚着，眼里淌了泪，各种思想在他的脑里战斗。一个凄哀的面孔似乎从云里现出来。

李佩珠站起来走去把信递还给他。她温和地，感动地对他说：“爸的话是对的，吴先生，你应该相信他。你也用不着伤心了。她去得很好。她叫你不要找寻她，这是很有理由的。她的最后的话说得很不错：事业上的安慰才是真正的安慰。吴先生，她希望你在事业上努力，我想你一定不会使她失望的。”她微笑了。这笑容里面充满了善意。

吴仁民听见这几句话就抬起头看她。他惊奇地发见她的眼角嵌得有泪珠。她因了同情他的不幸的遭遇而哭了！他突然有了一种异样的感觉。他感动得半晌说不出话。后来他就感激地说道：“是的，你们说得不错。我也知道应该鼓起勇气做出一点事情，才免得辜负她的这一番好意。”这声音就有些像叹息。但是他还禁不住要想：“我怎么能够就把她忘记呢？”

李剑虹接着又说了一些鼓舞他的话，李佩珠也说了些。在这时候这些话很容易进他的耳朵，尤其是李佩珠的话。

晚上吴仁民在家里书桌上放着熊智君的最后的信和她的照片。外面落着大雨。

他不能睡觉。房里变得太冷了。他的头痛得太厉害。寂寞压迫着他，那寂寞，那难堪的心的寂寞！他需要的是暖热，是活动。他不要死亡。

“智君，”他不能自主地用那交织着爱情和痛苦的声音呼唤起来，一声，两声，三声……没有一点回应。她显然是去远了，而且永远地去了。于是在他的眼前就出现了她的凄哀的面孔，那上面缀满了泪珠。他这时就仿佛看见她怎样苦痛地和那个官僚在一起过活，他又仿佛看见她静静地躺在棺材里，脸上嘴唇上满是血迹。于是这又变成了玉雯的面孔，依旧脸上嘴上满是血迹。他的心突然感到一阵剧烈的痛楚。他半昏迷地把两手蒙住了脸，坐倒在沙发上面。

后来他把手放下来，就好像从一个长梦里醒过来一般。房里是一片黑暗，电灯已经被二房东关了。外面还落着大雨。

他拭了拭眼睛，嘘了一口长气，就无力地站起来，摸索到窗前，打开一扇窗户，把头伸到外面去，让雨滴飘打在他的头上脸上，他的头脑渐渐地清醒了。

弄堂里是很静寂的，没有虫在叫，只有雨滴在石板上的声音，非常清楚，就像滴在他的心上，洗涤他的心。眼前是白茫茫的一片，他看不清楚对面的花园。这时候在他的记忆里那花园已经不复存在了。他的眼睛开始模糊起来。雨滴还在他的脸上流着。他并不把头缩回去，却把两手紧抓着窗台，好像害怕跌倒一般。

雨渐渐地变小了，一个女人的面孔披开雨丝现出来，接着又是一个，还有第三个。但这些又都消灭了。他的眼前第二次出现了那一根长的鞭子，那是一连串的受苦的面孔做成的，他第一次看见它是在前一个月里他在两个女人的包围中演着爱情的悲喜剧的时候。如今这鞭子却显得比那一次更结实，更有力了。

这是他不能够否认的：这个黑暗的世界里的确潜伏着一个如此巨大的力量。这根鞭子决不是一个假象。痛苦把那无数的人团结起来，使他们把自己炼成一根鞭子，这鞭子将来有一天会打在整个的旧社会制度上面把它打得粉碎，这是可能的，而且在现今他更觉得是必需的了。他应该起来做一个舞动这鞭子的人。

“打呀！”一个激情鼓舞着他。他拂了拂额上的雨珠，用憎恨的眼光四处看，看那个沉睡的都市。他把他的全部憎恨都集中在它上面，好像他所经历的一切苦痛和不义都是它所给与他的。沉睡的都市，不，半醒的，他知道就在这时候还有一部分人在作乐，另一部分人在受苦。

“打呀，”他把手死命地抓住那窗台，他觉得他已经把鞭子握在手里了，不能够放松它。他应该把它挥动起来，就先向这个大都市打下去。

于是在他的想像中这个大都市的面孔就被打了。他看得清清楚楚。一根长的鞭子打下去，黑暗中出现了一道光亮，接着是一阵迷眼睛的烟雾，烟雾散了，那一片黑暗中的景象没有了，黑暗里的建筑也都消灭了。眼前是一片海洋般颜色的蓝空，那里面渐渐现出了两个女性的美丽的面孔，对着他悲苦地微笑。他很清楚地认识她们，他的手不觉有些战抖起来。但就在这时候那一根结实的鞭子从上面打下来，打在这两个面孔上，面孔碎了，马上成了两块肉饼。

他的心剧烈地痛楚着，他不能自主地发出一声呻吟。他这一次并不把脸蒙着。他分明地知道那两个面孔已经碎了，而且是他亲手下的鞭子。现在已经是无法挽救了。

“打呀，”激情继续在鼓动他。他仿佛觉得他把全个黑暗的社会都打碎了。于是……他注意地看着远处。他不曾看见黑暗。他只看见一片蓝空。蓝空中渐次涌现了许多脸，许多笑脸，那些脸全是他所不认识的，它们完全没有一点痛苦的痕迹。在那些脸上只有快乐。它们表现着另一个未来的幸福时代，也许就是他所说的黎明的将来。

这幻象很使他感动，他仿佛就得着了他所追求的东西，他突然被一阵感情占有了。他伸出两只手向那远处，好像要去拥抱那幻象。这时候他嘴里祷告般地喃喃说了几句话。话语是不成句的，意思是他以后甘愿牺牲掉一切个人的享受去追求那黎明的将来。他不再要求什么爱情的陶醉，把时间白白浪费在爱情的悲喜剧里面了。

第二天早晨他立在窗前，雨后的阳光照着他的上半身，看见这灿烂的阳光，他感到一身的轻快和暖热，他自由地抖动他的身子，好像就要摔去这许多天来的肩上的爱情的重压。

“我现在是完全自由了。爱情本来是有闲阶级玩的把戏，我没有权利来享受它。只怪这些日子里我被爱情迷了眼睛，白白给自己招寻了许多苦恼，”他宽慰似地嘘了一口长气，然后这样自语道。

他把头埋下去，往弄堂里看。地面上是湿的，雨迹还没有被太阳完全晒干。看见这个他就不禁要想到昨夜的事情。他没有一点疑惑。他觉得这几个月来的苦恼都被昨夜的大雨洗去了。

图书在版编目（CIP）数据

雨 / 巴金著. — 北京：中国国际广播出版社，2013.1
（良友文学丛书）
ISBN 978-7-5078-3564-9

Ⅰ. ①雨… Ⅱ. ①巴… Ⅲ. ①长篇小说－中国－现代 Ⅳ. ①I246.5

中国版本图书馆CIP数据核字（2012）第266537号

雨

著　　者	巴　金
责任编辑	张娟平　张淑卫
版式设计	国广设计室
责任校对	徐秀英
出版发行	中国国际广播出版社（83139469　83139489[传真]）
社　　址	北京复兴门外大街2号（国家广电总局内）
	邮编：100866
网　　址	www.chirp.com.cn
经　　销	新华书店
印　　刷	环球印刷（北京）有限公司
开　　本	620×920　1/16
字　　数	116千字
印　　张	15
版　　次	2013 年 1 月　北京第一版
印　　次	2013 年 1 月　第一次印刷
书　　号	ISBN 978-7-5078-3564-9/I・372
定　　价	43.50元

CRI 中国国际广播出版社　欢迎关注本社新浪官方微博　官方网站 www.chirp.cn

人文阅读与收藏·良友文学丛书

(1)	鲁　迅　编译	竖　琴
(2)	何家槐　著	暧　昧
(3)	巴　金　著	雨
(4)	鲁　迅　编译	一天的工作
(5)	张天翼　著	一　年
(6)	篷　子　著	剪影集
(7)	丁　玲　著	母　亲
(8)	老　舍　著	离　婚
(9)	施蛰存　著	善女人行品
(10)	沈从文　著	记丁玲
	沈从文　著	记丁玲续集
(11)	老　舍　著	赶　集
(12)	陈　铨　著	革命的前一幕
(13)	张天翼　著	移　行
(14)	郑振铎　著	欧行日记
(15)	靳　以　著	虫　蚀
(16)	茅　盾　著	话匣子
(17)	巴　金　著	电
(18)	侍　桁　著	参差集
(19)	丰子恺　著	车箱社会
(20)	凌叔华　著	小哥儿俩
(21)	沈起予　著	残　碑
(22)	巴　金　著	雾
(23)	周作人　著	苦竹杂记　（暂缺）